EX LIBRIS
IMIĘ

Księga dziewiąta

KRWIOŻERCZY KARNAWAŁ

SERIA NIEFORTUNNYCH ZDARZEŃ

KSIĘGA DZIEWIĄTA

KRWIOŻERCZY KARNAWAŁ

Lemony Snicket

Ilustrował Brett Helquist

Tłumaczenie Jolanta Kozak

EGMONT

*

Tytuł serii: *A Series of Unfortunate Events*
Tytuł oryginału: *The Carnivorous Carnival*

First Edition, 2002 HarperCollins
Published by arrangement with HarperCollins Children's Books,
a division of HarperCollins Publishers, Inc.

From *A Series of Unfortunate Events. The Carnivorous Carnival*
by Lemony Snicket.

Redakcja: Hanna Baltyn
Korekta: Anna Sidorek

Wydanie drugie, Warszawa 2004
Wydawnictwo Egmont Polska Sp. z o.o.,
ul. Dzielna 60, 01-029 Warszawa
tel. (0-22) 838 41 00
www.egmont.pl/ksiazki

ISBN: 83-237-2071-1

Opracowanie typograficzne i łamanie: SEPIA, Warszawa
Druk: Edica SA, Poznań

*

Dla Beatrycze –
miłość nasza serce me złamała,
a Twoje na zawsze zatrzymała.

MADAME LULU
KARNAWAŁ KALIGARIEGO
USŁYSZYSZ, CO ZECHCESZ – GWARANTUJEMY!
1H8 ORFNS

R O Z D Z I A Ł

Pierwszy

Po skończonym dniu pracy, kiedy już zamknę notes, schowam pióro i podziurawię swój wynajęty kajak, żeby nikt mi go nie podwędził, lubię posiedzieć sobie wieczorkiem i pogadać z garstką przyjaciół, którzy mi zostali. Czasami dyskutujemy o literaturze. Czasami o ludziach, którzy dybią na nasze życie, i o szansach ucieczki przed nimi. A czasami o groźnych i uciążliwych zwierzętach, które mogą kręcić się po okolicy. Ten temat zawsze prowadzi do wielkich sporów o to, która część groźnego i uciążliwego zwierzęcia jest najbardziej groźna i uciążliwa. Niektórzy twierdzą, że najgorsze są zęby bestii, bo nimi zjada ona dzieci, a bywa, że i rodziców, obgryzając ich starannie co do kosteczki. Inni są zdania, że najgorsze są pazury, bo nimi rozrywa bestia ofiarę na strzępy. A jeszcze inni uważają, że najgorsza jest sierść bestii, ponieważ wiele osób jest uczulonych na sierść zwierzęcą i od niej kicha.

Ja jednak z uporem twierdzę, że najbardziej przerażającą częścią każdej bestii jest jej paszcza – a to z tego prostego powodu, że kto ogląda paszczę potwora od środka, ten musiał już wcześniej widzieć i zęby, i pazury, i nawet sierść, a teraz tkwi w potrzasku i zapewne nie ma dla niego ratunku. Z tego właśnie powodu wyrażenie „w paszczy potwora" oznacza, że znajdujemy się „w strasznej sytuacji, prawie bez szans na bezpieczną ucieczkę". Nie jest to wyrażenie, którego używa się z przyjemnością.

Z żalem powiadamiam was, że w tej książce wyrażenie „w paszczy potwora" użyte zostanie trzy razy, zanim historia dobiegnie końca, nie licząc dotychczasowych przypadków użycia przeze mnie wyrażenia „w paszczy potwora" dla uprzedzenia was, ile razy wyrażenie „w paszczy potwora" pojawi się w tekście. Trzykrotnie w tej historii bohaterowie znajdą się w strasznej sytuacji, bez szans właściwie na bezpieczną ucieczkę. Dlatego na waszym miejscu porzuciłbym czym prędzej tę książkę i ratował własną skórę, bo historia tu opowiedziana jest tak mroczna, przykra i żałosna, że od samego jej czytania poczujecie się, jakbyście wylądowali w paszczy potwora, ale ten raz też się nie liczy.

Sieroty Baudelaire tkwiły właśnie w paszczy potwora – to jest, w ciemnym, ciasnym bagażniku długiego, czarnego automobilu. O ile nie jest się drobnym, przenośnym przedmiotem, woli się na ogół podróżować na siedzeniu samochodu, gdzie można oprzeć się wygodnie, wyglądać przez okno na przesuwający się za nim krajobraz i delektować się poczuciem bezpieczeństwa, które zapewnia podróżnemu pas przypinający go do fotela. Baudelaire'owie jednak nie mogli oprzeć się wygodnie. Wszystko ich już bolało od kulenia się jedno przy drugim w nieznośnej ciasnocie. Okna do wyglądania też nie mieli, tylko parę dziur po pociskach – pamiątek gwałtownego zajścia, którego szczegółów na razie boję się dochodzić. A co do bezpieczeństwa, to czuli się od niego jak najdalsi, ilekroć pomyśleli o pozostałych pasażerach automobilu i spróbowali odgadnąć, dokąd jadą.

Kierowcą automobilu był niejaki Hrabia Olaf, podły osobnik z jedną brwią zamiast dwóch i chciwą żądzą pieniędzy zamiast szacunku dla innych ludzi. Baudelaire'owie poznali Hrabiego Olafa wkrótce po otrzymaniu wiadomości, że ich rodzice zginęli w strasznym pożarze; wkrótce też odkryli, że Hrabiego Olafa interesuje wyłącznie wielki majątek, który rodzice pozostawili im w spadku. Z niezłomną determinacją – co tutaj znaczy: „gdziekolwiek Baudelaire'owie się znaleźli" – Hrabia Olaf tropił ich, stosując najpodlejsze sztuczki dla zagarnięcia ich fortuny. Jak dotąd nie osiągnął celu, chociaż pomagała mu jak mogła jego narzeczona, Esmeralda Szpetna, osoba równie jak on podła, choć niewątpliwie lepiej ubrana. Ona to podróżowała teraz na przednim siedzeniu automobilu, z tyłu zaś tłoczyła się dziwna zbieranina pomocników Hrabiego Olafa: łysy z wielkim nosem, dwie kobiety upudrowane na biało i złośliwy typ z żelaznymi hakami zamiast dłoni. Ponieważ siedzieli z tyłu, dzieci słyszały chwilami strzępy ich rozmów, zagłuszanych warkotem silnika i odgłosami z szosy.

Widząc tak niemiłe towarzystwo, można by pomyśleć, że sieroty Baudelaire powinny były poszukać jakiegoś innego sposobu podróżowania, zamiast pchać się do bagażnika – dzieci jednak uciekały od okoliczności jeszcze bardziej przerażających niż Olaf i jego kompania, a na kręcenie nosem nie było czasu. Teraz jednak, z każdą chwilą podróży, Wioletka, Klaus i Słoneczko coraz bardziej martwili się swoją sytuacją. Przez dziury po ostrzale widzieli, jak zachodzące słońce ustępuje miejsca wieczorowi, i czuli, że droga pod nimi staje się coraz bardziej wyboista. Baudelaire'owie zachodzili w głowę, dokąd też jadą i co się stanie, gdy dotrą na miejsce.

– Czy jesteśmy już na miejscu? – przerwał długą ciszę głos hakorękiego.

– Mówiłem ci, żebyś mnie o to więcej nie pytał – rozzłościł się Olaf. – Będziemy na miejscu, jak będziemy na miejscu, koniec kropka.

– Nie moglibyśmy zrobić małego postoju? – spytała jedna z bladolicych. – Za parę kilometrów jest parking rekreacyjny, widziałam tablicę.

– Nie ma czasu na postoje – uciął kategorycznie Olaf. – Jak się chciało iść do toalety, trzeba to było zrobić przed wyjazdem.

– Przecież szpital się palił! – jęknęła z pretensją bladolica.

– Tak, zatrzymajmy się – poparł ją łysy. – Od obiadu nie mieliśmy nic w ustach, w brzuchu mi burczy.

– Wykluczone – odparła Esmeralda. – Tutaj na uroczysku nie ma ani jednej modnej restauracji.

Wioletka, najstarsza z sierot Baudelaire, uścisnęła zesztywniałe ramię Klausa i mocniej przytuliła Słoneczko, jakby chciała się z nimi porozumieć bez słów. Esmeralda Szpetna nieustannie rozprawiała o tym, co jest modne – a więc, jej zdaniem, pożądane – ale nie to zaciekawiło Baudelaire'ów: zaciekawiła ich pierwsza wzmianka o tym, dokąd wiezie ich samochód. Uroczyskiem nazywano rozległe pustkowie z dala od miasta i najmniejszej choćby wioski – w promieniu setek mil nie było tam ani jednej osady ludzkiej. Rodzice wielokrotnie obiecywali młodym Baudelaire'om, że ich tam zabiorą, aby mogli obejrzeć słynny zachód słońca na uroczysku. Klaus, zagorzały pożeracz książek, czytał rodzinie tak zachęcające opisy owych zachodów słońca, że ledwo mogli się doczekać wycieczki. Wioletka, obdarzona sporym talentem wynalazczym, zaczęła nawet konstruować kuchenkę na paliwo słoneczne, aby mogli całą rodziną delektować się grzankami z serem, obserwując, jak granatowa kurtyna nieba spuszcza się powoli na kaktusy porastające uroczysko, a słońce tonie majestatycznie za ośnieżonymi szczytami odległych Gór Grozy. Żadne z dzieci nie przypuszczało jednak, że pewnego dnia przyjadą tutaj same, ściśnięte w bagażniku auta strasznego łotra.

– Szefie, czy szef jest pewien, że tu jest bezpiecznie? – zaniepokoił się hakoręki. – Jakby policja przyjechała nas szukać, nie będzie gdzie się schować.

– Przecież zawsze możemy się przebrać – przypomniał mu łysy. – W bagażniku mamy wszystko, co potrzeba.

– Nie potrzebujemy się chować ani przebierać – powiedział Olaf. – Dzięki tej kretynce, reporterce z „Dziennika Punctilio", wszyscy są przekonani, że ja nie żyję, zapomniałeś?

– Ty nie żyjesz – zachichotała nieprzyjemnie Esmeralda – a smarkacze Baudelaire są twoimi mordercami. Nie mamy powodu się chować, mamy powód się radować! To trzeba uczcić!

– Na uciechy jeszcze za wcześnie – zgasił ją Olaf. – Zostały nam dwie sprawy do załatwienia. Po pierwsze, trzeba zniszczyć ostatni dowód, przez który możemy pójść siedzieć.

– Akta Snicketa – uściśliła Esmeralda, a Baudelaire'owie zadrżeli w bagażniku. Im samym udało się zdobyć pojedynczą stronę wspomnianych akt, która spoczywała teraz bezpiecznie w kieszeni Klausa. Trudno było wiele wywnioskować z pojedynczej strony, jednak wynikało z niej, że akta Snicketa mogą zawierać informacje o kimś, kto ocalał z pożaru. Baudelaire'om zależało więc bardzo na znalezieniu pozostałych stron, zanim znajdzie je Olaf.

– To jasne – stwierdził hakoręki. – Jasne, że trzeba znaleźć akta Snicketa. A ta druga sprawa?

– Musimy dopaść Baudelaire'ów, idioto! – zgromił go Olaf. – Jak ich nie dopadniemy, nie zgarniemy ich fortuny i wszystkie moje plany pójdą na marne.

– Nic podobnego, twoje plany nigdy nie idą na marne – zaprotestowała jedna z bladolicych. – Ja się świetnie bawię, nawet bez fortuny Baudelaire'ów.

– Jak myślicie, czy wszystkie trzy szczeniaki uszły z życiem ze szpitala? – spytał łysy.

– Te szczeniaki mają więcej szczęścia niż rozumu – burknął Olaf – więc na pewno przeżyły i mają się świetnie, chociaż bardzo by nam to ułatwiło sprawę, gdyby przynajmniej jedno spaliło się na skwarek, a jeszcze lepiej dwoje. Do zdobycia fortuny starczy jedno żywe.

– Mam nadzieję, że to będzie Słoneczko – powiedział hakoręki. – Bardzo fajnie było trzymać je w klatce, chętnie bym to powtórzył.

– Osobiście wolałbym Wioletkę – stwierdził Olaf. – Jest najładniejsza.

– Mnie wszystko jedno, kto to będzie – ucięła dyskusję Esmeralda. – Ważne, gdzie oni teraz są.

– Spokojna głowa, Madame Lulu nam powie – rzekł Olaf. – Wyczyta wszystko ze swojej kryształowej kuli.

– Nigdy nie wierzyłam w kryształowe kule i takie tam – odezwała się jedna z bladolicych – ale odkąd Madame Lulu za każdym razem informuje cię, gdzie znaleźć Baudelaire'ów, przekonałam się, że wróżby mówią prawdę.

– Trzymaj się mnie – mruknął Olaf – a jeszcze o niejednym się przekonasz. O, widzę skręt w Ulicę Umiarkowanie Uczęszczaną. Jesteśmy prawie na miejscu.

Auto skręciło ostro w lewo, a Baudelaire'owie gwałtownie przeturlali się na lewą stronę bagażnika, razem z mnóstwem rzeczy, które Olaf woził tam dla realizacji swoich zbójeckich intryg. Wioletka z trudem powstrzymała kaszel, gdy sztuczna broda połaskotała ją po gardle. Klaus w ostatniej chwili zasłonił twarz ręką, żeby wprawiona w ruch skrzynka z narzędziami nie stłukła mu okularów. A Słoneczko zacisnęło mocno buzię, żeby któryś z brudnych podkoszulków Olafa nie zaplątał mu się w ostre zęby. Ulica Umiarkowanie Uczęszczana była jeszcze bardziej wyboista od szosy, którą jechali wcześniej, a silnik auta warczał teraz tak głośno, że dzieci nie słyszały już nawet strzępów konwersacji, dopóki Olaf nie zahamował z piekielnym zgrzytem i nie zatrzymał samochodu.

– Czy jesteśmy na miejscu? – spytał hakoręki.

– Jasne, że na miejscu, a gdzie, ty głupku! – odparł Olaf. – Patrz na szyld: Karnawał Kaligariego.

– A gdzie Madame Lulu? – zainteresował się łysy.

– A jak myślisz? – spytała Esmeralda, i wszyscy się roześmiali.

Drzwi automobilu otwarły się ze zgrzytem i auto znów się zabujało, bo pasażerowie zaczęli wysiadać.

– Mam wyjąć wino z bagażnika, szefie? – spytał łysy.

Baudelaire'owie zamarli.

– Nie – odparł Hrabia Olaf. – Madame Lulu na pewno naszykowała poczęstunek.

Trójka dzieci leżała cichutko, nasłuchując, jak Olaf i jego trupa oddalają się od samochodu. Odgłos ich kroków cichł w oddali, aż w końcu słychać było tylko wieczorny wiatr, poświstujący przez dziury po ostrzale. Wtedy dopiero dzieci uznały, że bezpiecznie można się odezwać.

– Co teraz zrobimy? – szepnęła Wioletka, odsuwając łaskoczącą brodę.

– Meril – powiedziało Słoneczko.

Jak wiele osób w wieku niemowlęcym, najmłodsze z Baudelaire'ów posługiwało się językiem trudnym niekiedy do zrozumienia dla postronnych, jednak rodzeństwo Słoneczka natychmiast pojęło, że siostrzyczka komunikuje coś w sensie: „Na początek wydostańmy się z tego bagażnika”.

– I to czym prędzej – zgodził się z nią Klaus. – Nie wiemy przecież, kiedy Olaf i jego trupa tu wrócą. Wioletko, czy masz jakiś pomysł na wydostanie nas stąd?

– Nie powinno z tym być większego trudu – odparła Wioletka. – Tyle jest rzeczy w bagażniku... – Sięgnęła za siebie, pomacała i wyczuła palcami mechanizm zamykający bagażnik. – Znam się trochę na takich zamkach – powiedziała. – Aby go otworzyć, potrzebuję tylko mocnej pętelki. Poszukajcie, czy nie ma tu czegoś odpowiedniego.

– Coś mi się okręciło wokół lewej ręki – stwierdził Klaus, zezując w bok. – Wygląda mi to na kawałek turbana, który Olaf nosił na głowie, kiedy przebrał się za trenera Dżyngisa.

– Za grube – oceniła Wioletka. – Pętla musi się wślizgnąć między dwa elementy zatrzasku.

– Semdzia! – oznajmiło Słoneczko.

– To moja sznurówka, Słoneczko – wyjaśnił Klaus.

– Zostawimy ją sobie jako rozwiązanie awaryjne – powiedziała Wioletka. – Lepiej by było, żebyś się nie potykał, gdy będziemy stąd uciekać. Czekajcie, zdaje mi się, że znalazłam coś pod kołem zapasowym.

– Co to takiego?

– Nie wiem. Na dotyk jakby sznurek, z czymś okrągłym i płaskim na końcu.

– To na pewno monokl – rzekł Klaus. – No wiesz, ten śmieszny okular, który Olaf nosił, gdy udawał Gunthera na aukcji dzieł sztuki.

– Chyba masz rację – przyznała Wioletka. – Skoro ten monokl pomógł Olafowi w realizacji jego planu, to niech teraz pomoże nam. Słoneczko, spróbuj się troszkę przesunąć, a ja sprawdzę, czy to zadziała.

Słoneczko skuliło się, jak mogło, a Wioletka, sięgając ponad siostrą i bratem, wcisnęła sznurek monokla w mechanizm zatrzasku. Wszyscy nadstawili ucha: Wioletka manipulowała swoim wynalazkiem, aż po paru sekundach rozległo się ciche *klik*! i klapa bagażnika uniosła się powoli, z przeciągłym skrzypieniem. Chłodne powietrze wtargnęło do środka, ale Baudelaire'owie jeszcze chwilę wytrwali bez ruchu, na wypadek gdyby odgłos otwierającej się klapy ściągnął uwagę Olafa. Wyglądało jednak na to, że i Olaf, i wszyscy jego asystenci, byli już tak daleko, że nic nie usłyszeli, bo minęło następne parę sekund i do uszu dzieci nie dobiegło nic prócz cykania wieczornych świerszczy i dalekiego ujadania psa.

Baudelaire'owie popatrzyli po sobie, mrużąc oczy w półmroku, po czym, już bez słowa, Wioletka z Klausem wygramolili się z bagażnika i wydobyli z niego siostrzyczkę. Zapadał zmierzch. Słynny zachód słońca na uroczysku właśnie się skończył i wszystko skąpane było w odcieniu ciemnoniebieskim, jakby Hrabia Olaf wywiózł Baudelaire'ów w przepastne głębie oceanu. Wielki drewniany szyld głosił: KARNAWAŁ KALIGARIEGO. Litery miały krój staroświecki, a pod napisem widniało spłowiałe malowidło przedstawiające lwa, który goni przerażonego chłopczyka. Pod szyldem stała budka, reklamująca sprzedaż biletów, i druga budka, połyskująca w niebieskawym blasku – telefoniczna. Za budkami widać było gigantyczną kolejkę górską, co tu oznacza: „szereg wagoników, w których się siada i pędzi w dół i w górę po przerażająco stromym i spadzistym torze, bez żadnego powodu i celu". Nie ulegało jednak wątpliwości, nawet w półmroku, że kolejki górskiej od dłuższego czasu nie uruchamiano, bo tory i wagoniki obrosły bluszczem i inną pnącą roślinnością, co sprawiało takie wrażenie, jakby ta główna atrakcja lunaparku miała się zaraz zapaść pod ziemię. Nieco dalej stał rząd wielkich namiotów, trzepoczących na wieczornym wietrze jak galaretowate meduzy, a przy każdym namiocie parkował barakowóz, to znaczy wagon na kółkach używany jako dom przez osoby często podróżujące. Barakowozy i namioty miały wymalowane rozmaite emblematy, ale Baudelaire'owie natychmiast odgadli, który barakowóz zajmuje Madame Lulu – zdobiło go bowiem gigantyczne oko. Było ono takie samo jak oko wytatuowane na kostce lewej nogi Hrabiego Olafa. Ten sam emblemat spotkali Baudelaire'owie już nieraz. Zadrżeli więc, widząc, że nie uciekną przed nim nawet na uroczysku.

– Skoro wydostaliśmy się już z bagażnika – powiedział Klaus – to teraz wydostańmy się z tej okolicy. Olaf i jego trupa mogą wrócić w każdej chwili.

– Ale dokąd pójdziemy? – spytała Wioletka. – Jesteśmy na uroczysku. Kompan Olafa mówił, że tu nie ma gdzie się schować.

– Poszukamy kryjówki – powiedział Klaus. – Na pewno nie jest dla nas bezpiecznie pozostawać w miejscu, gdzie Hrabia Olaf jest mile widziany.

– Oko! – poparło brata Słoneczko, wskazując barakowóz Madame Lulu.

– Ale nie możemy się znów błąkać po nieznanej okolicy. Ostatnim razem wpędziło nas to w jeszcze gorsze kłopoty – przypomniała Wioletka.

– Może uda nam się dodzwonić na policję z tamtej budki – zaproponował Klaus.

– Dragnet! – zauważyło Słoneczko, komunikując: „Przecież policja uważa nas za morderców!”.

– Chyba powinniśmy skontaktować się z panem Poe – stwierdziła Wioletka. – Na telegram z prośbą o pomoc nie odpowiedział, ale może przez telefon będziemy mieli więcej szczęścia.

Cała trójka spojrzała po sobie bez większej nadziei. Pan Poe pełnił funkcję Wiceprezesa do Spraw Sierot w wielkim banku miejskim – Mecenacie Mnożenia Mamony. Do jego obowiązków należało między innymi nadzorowanie spraw rodzeństwa Baudelaire'ów po strasznym pożarze. Pan Poe nie był złym człowiekiem, ale przez nieostrożność postawił już Baudelaire'ów w tylu niebezpiecznych sytuacjach, że niejeden prawdziwie zły człowiek mógłby mu pozazdrościć. Dzieci nie kwapiły się więc do ponownego skontaktowania się z nim, ale co było robić.

– Słaba nadzieja, że nam pomoże, ale co mamy do stracenia? – podsumowała Wioletka.

– Nie myślmy o tym na razie – rzekł Klaus, kierując się ku budce telefonicznej. – Może pan Poe pozwoli nam się przynajmniej wytłumaczyć.

– Weridz – zauważyło Słoneczko, komunikując coś w sensie: „Ale na telefon trzeba mieć pieniądze".

– Ja nie mam ani grosza – powiedział Klaus, sięgając do kieszeni. – A ty, Wioletko?

Wioletka pokręciła głową.

– Zadzwońmy do centrali i spytajmy, czy można wyjątkowo zadzwonić za darmo – zaproponowała.

Klaus kiwnął głową i otworzył drzwi budki telefonicznej. Wszyscy troje stłoczyli się w środku. Wioletka podniosła słuchawkę i wykręciła „0" do centrali, a Klaus podniósł Słoneczko, aby i ono mogło słyszeć przebieg rozmowy.

– Centrala – odezwała się centrala.

– Dobry wieczór – powiedziała Wioletka. – Moje rodzeństwo i ja chcielibyśmy zadzwonić.

– Proszę umieścić w aparacie odpowiednią sumę – poleciła centrala.

– Problem w tym, że my nie mamy odpowiedniej sumy – odparła Wioletka. – Nie mamy żadnej sumy. Ale sytuacja jest wyjątkowa.

Ze słuchawki rozległ się słaby świst, po którym dzieci poznały, że osoba z centrali westchnęła.

– Na czym polega wyjątkowość waszej sytuacji?

Wioletka spojrzała na brata i siostrę: w okularach Klausa i zębach Słoneczka odbijały się resztki blasku niebieskawego zmierzchu. Z zapadaniem ciemności wyjątkowość sytuacji Baudelaire'ów tak narastała, że objaśnienie jej komuś z centrali wymagałoby chyba całej nocy, toteż Wioletka spróbowała ułożyć naprędce zwięzłe streszczenie – innymi słowy „opowiedzieć historię Baudelaire'ów w taki sposób, który przekonałby osobę z centrali telefonicznej, iż powinna pozwolić dzieciom zadzwonić za darmo do pana Poe".

– No więc... – zaczęła – ... ja nazywam się Wioletka Baudelaire, a jest tu ze mną mój brat Klaus i siostra Słoneczko. Nasze imiona mogą brzmieć znajomo, gdyż niedawno w „Dzienniku Punctilio" pisano o nas jako o Weronice, Klemensie i Sabinie Baudelaire, mordercach Hrabiego Omara. Tylko że Hrabia Omar to w rzeczywistości Hrabia Olaf, i wcale nie został zabity. Upozorował własną śmierć, zabijając inną osobę noszącą identyczny jak jego tatuaż, a winą za tę zbrodnię obarczył nas. Ostatnio spalił szpital, próbując nas złapać, ale myśmy się schowali w bagażniku jego samochodu, którym wraz z kompanami zbiegł z miejsca przestępstwa. No i właśnie wydostaliśmy się z tego bagażnika, i chcielibyśmy skontaktować się z panem Poe, żeby nam pomógł znaleźć akta Snicketa, które, jak przypuszczamy, zawierają informacje, co oznacza skrót WZS i czy któreś z naszych rodziców przeżyło pożar. Wiem, że to bardzo zawiła historia i może wydać się niewiarygodna, ale znaleźliśmy się całkiem sami tu na uroczysku i nie wiemy, co robić.

Historia brzmiała tak przerażająco, że nawet sama Wioletka, opowiadając ją, troszkę się popłakała. Otarła łzę z oka, nasłuchując pilnie odpowiedzi centrali. Ale centrala milczała. Cała trójka Baudelaire'ów nadstawiła ucha, lecz ze słuchawki dobiegał tylko pusty, odległy szum linii telefonicznej.

– Halo? – zaryzykowała w końcu Wioletka.

Telefon milczał.

– Halo? – powtórzyła Wioletka. – Halo? Halo?

Brak odpowiedzi.

– Halloo?!!! – krzyknęła Wioletka, najgłośniej jak się odważyła.

– Odwieś już tę słuchawkę – poradził z rezygnacją Klaus.

– Ale dlaczego nikt nie odpowiada? – rozpłakała się Wioletka.

– Nie wiem – rzekł Klaus. – W każdym razie centrala raczej nam nie pomoże.

Wioletka odwiesiła słuchawkę i otworzyła drzwi budki. Słońce zdążyło już całkiem zajść, zrobiło się zimniej. Wioletka zadrżała od podmuchu nocnego wiatru.

– Kto nam pomoże? – spytała bezradnie. – Kto się nami zajmie?

– Sami się sobą zajmiemy, nie mamy wyjścia – odrzekł Klaus.

– Efraj – powiedziało Słoneczko, komunikując: „Tylko że tym razem wpadliśmy w wyjątkowo poważne tarapaty".

– To prawda – przyznała Wioletka. – Tkwimy na pustkowiu, w okolicy żadnej kryjówki, a cały świat uważa nas za zbrodniarzy. Więc jak zajmują się sobą zbrodniarze na uroczysku?

Jakby w odpowiedzi, dobiegła ich salwa śmiechu. Niezbyt głośna, bo dochodząca z daleka, ale w wieczornej ciszy tak przejmująca, że dzieci podskoczyły z wrażenia. Słoneczko wskazało paluszkiem na oświetlone okno w barakowozie Madame Lulu. Na tle okna przesuwały się cienie, po których Baudelaire'owie poznali, że Hrabia Olaf i jego trupa bawią w środku na wesołej pogawędce. Tymczasem Klaus, Wioletka i Słoneczko drżeli z zimna na dworze pod osłoną nocy.

– Zajrzyjmy tam – zaproponował Klaus. – Zobaczmy, jak zajmują się sobą zbrodniarze.

R O Z D Z I A Ł

Drugi

Podsłuchiwanie – czyli „słuchanie ciekawych rozmów, do których nas nie zaproszono" – jest czynnością pożyteczną i często przyjemną, ale nie jest czynnością grzeczną. Za podsłuchiwanie, tak jak za każde niegrzeczne zachowanie, grozi nam kara, jeżeli ktoś przyłapie nas na gorącym uczynku. Sieroty Baudelaire miały już, oczywiście, wielką wprawę w unikaniu łapanek – wiedziały, jak należy skradać się chyłkiem przez teren wesołego miasteczka Karnawał Kaligariego i jak dostać się niepostrzeżenie pod barakowóz Madame Lulu, aby zajrzeć do wnętrza przez okno. Gdybyście się tam znaleźli w ów niesamowity niebieskawy wieczór – czego moje dochodzenie bynajmniej nie potwierdza – nie usłyszelibyście nawet najlżejszego szmeru od strony sierot Baudelaire podsłuchujących swoich wrogów.

Za to Hrabia Olaf i jego trupa hałasowali ile wlezie.

– Madame Lulu! – wrzasnął Hrabia Olaf, a dzieci przylgnęły mocno do ściany barakowozu, aby pozostać w cieniu. – Madame Lulu! Prosimy nalać nam wina! Podpalenie i ucieczka przed pościgiem zawsze wzmagają moje pragnienie!

– Ja poproszę raczej maślanki, koniecznie w kartonie – powiedziała Esmeralda. – To ostatnia nowość w dziedzinie napojów chłodzących.

– Pięć kieliszki wina i karton maślanka, służę, proszę – zabrzmiał kobiecy głos z dziwnym akcentem, który dzieci natychmiast rozpoznały.

Nie tak dawno, kiedy ich opiekunką była Esmeralda Szpetna, Olaf przebrał się za osobnika niezbyt biegle mówiącego po angielsku – głównym elementem jego przebrania był właśnie język, z takim samym akcentem jak ten, który dobiegł oto uszu Baudelaire'ów. Dzieci bardzo chciały dostrzec przez okienko choćby skrawek postaci wróżki, ale Madame Lulu szczelnie zaciągnęła zasłonki.

– Przyjemność moja widzieć tobie, mój Olaf. Zawitaj w barakowóz mój. Jak życie twoje?

– Mamy po uszy roboty – odparł hakoręki, stosując powiedzenie, które tu oznacza: „Od dość dawna uganiamy się bezskutecznie za niewinnymi dziećmi". – Okazuje się, że bardzo trudno złapać te trzy sieroty.

– Niech nie martwi dzieciami, proszę – rzekła Madame Lulu. – Mój kula kryształowa mówi mnie, że Olaf mój przemoże.

– Jeśli to znaczy: „zamorduje niewinne dzieci" – powiedziała jedna z bladolicych – to nie mieliśmy dzisiaj lepszej wiadomości.

– „Przemoże" znaczy „wygra" – przetłumaczył Olaf. – W moim przypadku równa się to zabiciu tych głupich Baudelaire'ów. Czy kula kryształowa podaje dokładnie, kiedy przemogę, Madame Lulu?

– Bardzo wkrótce, proszę – odparła Madame Lulu. – Jakie podarki wieziesz mnie z podróży twych, mój Olaf?

– Ano, zobaczmy, co my tu mamy – rzekł Olaf. – Oto przepiękne perły, które ukradłem pielęgniarce ze Szpitala Schnitzel.

– Te perły obiecałeś mnie! – przypomniała Esmeralda. – Jej możesz dać któryś z kruczych kapeluszy podwędzonych w Wiosce Zakrakanych Skrzydlaków.

– Powiem ci, Lulu – zmienił temat Olaf – że twój talent do przepowiadania przyszłości jest zdumiewający. Nigdy bym się nie domyślił, że sieroty chowają się w tej zapadłej dziurze – a twoja kryształowa kula wiedziała to od razu.

– Magia to magia, proszę – odparła Lulu. – Wina jeszcze, mój Olaf?

– Dziękuję, może być. A teraz, Lulu, twój niezwykły talent wróżbiarski znów jest nam potrzebny.

– Ci smarkacze Baudelaire'owie jeszcze raz nam się wymknęli – uściślił łysy. – Szef ma nadzieję, że powie nam pani, gdzie są.

– A po drugie – wtrącił się hakoręki – potrzebujemy informacji, gdzie są akta Snicketa.

– A po trzecie, interesuje nas, czy któreś z rodziców Baudelaire'ów przeżyło pożar – dodała Esmeralda. – Sieroty, zdaje się, uważają, że tak, ale tylko kryształowa kula może powiedzieć nam, czy tak jest na pewno.

– A po czwarte, ja bym się jeszcze napiła wina – oznajmiła jedna z bladolicych.

– Stawiacie żądań wiele – powiedziała ze swym dziwnym akcentem Madame Lulu. – Madame Lulu pamięta, proszę, jak wizytowałeś jej dla samą przyjemność towarzystwa, mój Olaf.

– Dzisiaj na to nie ma czasu – uciął temat Olaf. – Możesz zasięgnąć rady kryształowej kuli, najlepiej zaraz?

– Znasz prawa kuli kryształowej, mój Olaf – odparła Lulu. – W noc kula kryształowa spać musi w namiot wróżki, a o wschód słońca zadać jej można jednego pytania.

– W takim razie jutro z rana zadam jej swoje pierwsze pytanie – oświadczył Olaf – i zostaniemy tutaj tak długo, aż uzyskamy wszystkie odpowiedzi.

– Ach, mój Olaf! – westchnęła Madame Lulu. – Czasy ciężkie, proszę, dla Karnawał Kaligari. Słaby interes mieć wesołego miasteczka na uroczysko, mało ludzi nawiedza Madame Lulu i kula kryształowa. Sklep z pamiątkami Karnawał Kaligari sprzedawa towar lichy. I nie ma dość dziwolągi Madame Lulu w Gabinet Osobliwości. A mój Olaf wizytuje Madame Lulu ze swoją trupą, wino mnie piją i całe zapasy mnie wyjadają.

– Ten pieczony kurczaczek – paluszki lizać! – pochwalił hakoręki.

– Madame Lulu bez pieniędzy – skarżyła się dalej Lulu. – Ciężko, mój Olaf, przyszłość ciebie przepowiadać, kiedy Madame Lulu taki biedny.

Dach w barakowóz mój przecieka, a nie ma, proszę, pieniądze na remont.

– Już ci mówiłem – zniecierpliwił się Olaf – że jak tylko dorwiemy fortunę Baudelaire'ów, wesołe miasteczko dostanie kupę forsy.

– Mówiłeś to już i o fortuna Bagiennych, i o fortuna Snicketa – przypomniała mu Madame Lulu. – A złamany grosz Madame Lulu nie widziała. Trzeba pomyśleć, proszę, jak sławny czynić Karnawał Kaligari. Madame Lulu nadziejała, że trupa Olaf da przedstawienie jakie, może *Cudowny ślub*. I przyjdzie ludzi moc oglądać.

– Szef nie ma czasu pokazywać się na scenie – powiedział łysy. – Knucie przestępczych intryg to praca na okrągłą dobę.

– A poza tym – wtrąciła Esmeralda – ja wycofałam się z branży rozrywkowej. Chcę być już tylko narzeczoną Hrabiego Olafa.

Zapadła cisza, w której z barakowozu dochodziło tylko mlaskanie i chrzęst obgryzanych kości kurczęcia. Potem ktoś westchnął przeciągle i zabrzmiał cichy głos Madame Lulu:

– Nie mówiłeś, mój Olaf, że Esmeralda jest narzeczona twoja. Madame Lulu niepewna, czy pozwoli trupa twoja pozostać w barakowóz mój.

– Ależ droga Lulu! – rzekł Olaf, a podsłuchujące go dzieci zadrżały. Olaf przybrał bowiem ton znany Baudelaire'om od dawna: zawsze przemawiał tym tonem, kiedy chciał przekonać rozmówcę, że jest człowiekiem dobrym i przyzwoitym. Nawet przy zaciągniętej zasłonce dzieci miały pewność, że Olaf szczerzy się w zębatym uśmiechu do Madame Lulu, a jego oczy błyszczą pod pojedynczą brwią, jakby miał zaraz opowiedzieć świetny dowcip. – Czy ja ci już, Lulu, opowiadałem, jak rozpoczęła się moja kariera aktorska?

– To fascynująca historia – wtrącił hakoręki.

– W istocie – przyznał Olaf. – Dolej mi wina, Lulu, to ci ją opowiem. A więc, już jako dziecko byłem najprzystojniejszym chłopcem w szkole. Pewnego dnia nasz młody dyrektor...

Baudelaire'om to wystarczyło. Dość czasu spędzili z tym łotrem, aby wiedzieć, że gdy raz zacznie mówić o sobie, gada i gada, aż wszystkie krowy wrócą z pastwiska – co tutaj znaczy: „aż skończy się wino w butelce". Oddalili się więc na palcach w stronę samochodu Hrabiego Olafa, aby tam móc spokojnie pogadać, bez ryzyka, że zostaną podsłuchani. W nocnych ciemnościach podłużny czarny automobil wyglądał jak wielka dziura w krajobrazie i dzieci miały wrażenie, że zaraz w nią wpadną, kiedy tak stały, zastanawiając się, co dalej robić.

– Chyba powinniśmy stąd pójść – rzekł z wahaniem Klaus. – To na pewno nie jest bezpieczne miejsce. Tylko dokąd możemy pójść na uroczysku? W promieniu wielu mil nie ma tu kompletnie nic, grozi nam śmierć z pragnienia albo napaść dzikich zwierząt.

Wioletka rozejrzała się pospiesznie, jakby w obawie, że coś dzikiego zaatakuje ich natychmiast, ale jedynym dzikim zwierzęciem w polu widzenia był malowany tygrys na szyldzie wesołego miasteczka.

– Nawet gdybyśmy na kogoś tutaj trafili – zauważyła Wioletka – wezmą nas prawdopodobnie za morderców i wezwą policję. Poza tym, Madame Lulu ma od jutra rana zacząć odpowiadać na pytania Olafa.

– Wierzysz w tę kryształową kulę Madame Lulu? – spytał Klaus. – Bo ja nigdzie w swoich lekturach nie znalazłem dowodów, że wróżby są prawdziwe.

– A jednak Madame Lulu za każdym razem informuje Olafa, gdzie jesteśmy – przypomniała mu Wioletka. – Skądś musi brać te informacje. Jeśli naprawdę byłaby w stanie zlokalizować akta Snicketa albo ustalić, czy któreś z naszych rodziców żyje...

Nie dokończyła zdania, ale nie było to konieczne. Wszyscy troje wiedzieli, że ustalenie, czy któreś z ich rodziców żyje, na pewno warte jest pozostania w wesołym miasteczku.

– Zandower – powiedziało Słoneczko, komunikując: „A więc zostajemy".

– Przynajmniej do jutra rana – potwierdził Klaus. – Tylko gdzie się schowamy? Musimy się ukryć, żeby ktoś nas nie rozpoznał.

– Wozu? – zasugerowało Słoneczko.

– Ludzie z tych barakowozów pracują dla Madame Lulu – powiedział Klaus. – Kto wie, czy okazaliby się skorzy do pomocy?

– Mam pomysł – oświadczyła Wioletka i skierowała się ku bagażnikowi auta Hrabiego Olafa. Otworzyła skrzypiącą klapę i zajrzała do środka.

– Gupi! – skrytykowało Słoneczko, komunikując: „Moim zdaniem to wcale nie jest dobry pomysł, Wioletko".

– Słoneczko ma rację – poparł siostrzyczkę Klaus. – Olaf i jego banda mogą tu w każdej chwili przyjść, żeby wyjąć coś z bagażnika. Nie powinniśmy się tam chować.

– Wcale nie chcę, żebyśmy się chowali w bagażniku – powiedziała Wioletka. – W ogóle nie będziemy się chować. Przecież Olaf i jego trupa nigdy się nie chowają, a i tak unikają rozpoznania. Przebierzemy się!

– Gabrowa? – spytało Słoneczko.

– A dlaczego miałoby nam się nie udać? – odparła Wioletka. – Olaf w przebraniu wszystkich potrafi nabrać. Jeśli zdołamy przekonać Madame Lulu, że jesteśmy całkiem innymi osobami, będziemy mogli śmiało tu zostać i poznać odpowiedzi na nasze pytania.

– Trochę to ryzykowne – rzekł Klaus – ale chyba nie bardziej ryzykowne niż szukanie kryjówki. Za kogo się przebierzemy?

– Obejrzyjmy sobie kostiumy – poradziła Wioletka – to może wpadniemy na jakiś pomysł.

– Trzeba będzie zdać się na dotyk – zauważył Klaus – bo po ciemku nic nie widać.

Baudelaire'owie stanęli nad otwartym bagażnikiem i zaczęli w nim grzebać. Jak zapewne sami wiecie, grzebiąc w cudzych rzeczach można dowiedzieć się wiele nowego i ciekawego o tej osobie. Przeglądając, na przykład, najnowsze listy adresowane do swojej siostry, można dowiedzieć się, że planuje ona ucieczkę z domu z pewnym arcyksięciem. A badając zawartość walizki współpasażera pociągu, możemy dowiedzieć się, że osoba ta fotografowała nas potajemnie przez ostatnie pół roku. Ja zajrzałem ostatnio do lodówki mojej znajomej i dowiedziałem się, że jest ona wegetarianką, a przynajmniej udaje wegetariankę, albo wpadł do niej z kilkudniową wizytą jakiś wegetarianin. Tak też i sieroty Baudelaire, grzebiąc w bagażniku auta Hrabiego Olafa, dowiedziały się mnóstwa niemiłych rzeczy o swoim prześladowcy. Wioletka natrafiła na fragment mosiężnej lampy, którą pamiętała z mieszkania Wujcia Monty'ego, i w ten sposób dowiedziała się, że Olaf nie tylko zamordował jej nieszczęsnego opiekuna, ale jeszcze go okradł na dodatek. Klaus wymacał wielką plastikową torbę z nadrukiem Butik Modny i dowiedział się, że Esmeralda Szpetna wciąż ma taką samą obsesję na punkcie mody, jaką zawsze miała. A Słoneczko wyłowiło z bagażnika oblepione trocinami rajstopy i dowiedziało się, że Olaf nawet nie uprał kostiumu recepcjonistki, odkąd go ostatni raz używał. Ale najbardziej przygnębiającą rzeczą, jakiej dowiedziały się dzieci z grzebania w bagażniku, było to, że Olaf dysponuje niesamowicie wielką kolekcją kostiumów. Był tam kostium kapitana marynarki, była brzytwa, którą Olaf golił się, udając pomocnika laboranta, były drogie markowe trampki, które nosił, gdy udawał nauczyciela wuefu, a także plastikowe buty, w których występował jako detektyw. Była też jednak cała masa kostiumów, których dzieci nigdy jeszcze nie widziały – wyglądało na to, że Olaf może przebierać się w nieskończoność, tropiąc Baudelaire'ów z miejsca na miejsce, za każdym razem w nowej postaci, dzięki czemu nigdy nie daje się złapać policji.

– Możemy się przebrać właściwie, za kogo chcemy – powiedziała Wioletka. – Patrzcie: w tej peruce wyglądam jak klaun, a w tej jak sędzia.

– A to... – rzekł Klaus, podnosząc sporą skrzynkę z szufladkami – ...to jest chyba zestaw do charakteryzacji, zawiera nawet sztuczne wąsy, sztuczne brwi i parę szklanych oczu.

– Wicio! – obwieściło Słoneczko, wyciągając długi, biały welon.

– Nie, dziękuję – powiedziała Wioletka. – Już raz nosiłam ten welon, kiedy Olaf o mało się ze mną nie ożenił. Więcej go nie założę. Zresztą, panna młoda błąkająca się sama po uroczysku? To bez sensu.

– Patrzcie na tę szatę – odezwał się Klaus. – Wygląda jak strój rabina, tylko nie wiem, czy Madame Lulu uwierzy, że rabin składa jej niespodziewaną wizytę w środku nocy.

– Dzina! – warknęło Słoneczko, okręcając się spodniami od dresu przy użyciu zębów. Najmłodsze z Baudelaire'ów komunikowało w ten sposób coś w sensie: „Wszystkie te ubrania są na mnie o wiele za duże". I miało absolutną rację.

– Faktycznie, to jeszcze większy rozmiar niż garnitur w prążki, który kupiła ci Esmeralda – stwierdził Klaus, pomagając siostrzyczce wyplątać się ze spodni. – Nie, nikt nie uwierzy, że spodnie same sobie spacerują po wesołym miasteczku.

– To wszystko jest za wielkie – orzekła Wioletka. – Spójrz na ten beżowy płaszcz. Gdybym go włożyła, wyglądałabym jak dziwoląg.

– Dziwoląg! Właśnie! – ucieszył się Klaus.

– Coje? – spytało Słoneczko.

– Madame Lulu skarżyła się, że nie ma dość dziwolągów w Gabinecie Osobliwości. Gdybyśmy się przebrali za dziwolągi i powiedzieli Madame Lulu, że szukamy pracy, może zatrudniłaby nas w wesołym miasteczku.

– Ale co właściwie robią dziwolągi? – spytała Wioletka.

– Czytałem kiedyś książkę o człowieku nazwiskiem John Merrick – odparł Klaus. – Miał on od urodzenia potwornie zdeformowane ciało. Z tego powodu wystawiany był na pokaz w wesołym miasteczku, w Gabinecie Osobliwości, a ludzie płacili za to, żeby wejść do namiotu i popatrzeć na niego.

– Naprawdę? Chcieli dla przyjemności oglądać człowieka ze zdeformowanym ciałem? – zdziwiła się Wioletka. – Dla mnie to okrutne.

– Tak, to było okrutne – przyznał Klaus. – Ludzie obrzucali pana Merricka czym popadło, wyśmiewali się z niego. Obawiam się, że Gabinet Osobliwości nie jest najsympatyczniejszą formą rozrywki.

– Ktoś powinien to ukrócić – stwierdziła Wioletka. – Ale wybryki Hrabiego Olafa też powinno się ukrócić, a jakoś nikt tego nie robi.

– Rade – powiedziało Słoneczko, rozglądając się nerwowo dookoła. Mówiąc „Rade", Słoneczko komunikowało: „Ktoś tu zaraz ukróci nasze wybryki, jeśli się szybko nie przebierzemy". Brat i siostra przyznali Słoneczku rację, kiwając głowami.

– Mam tu taką śmieszną koszulę – powiedział Klaus. – Całą w falbankach i kokardach. I wielgachne spodnie z futrzanymi mankietami.

– Może zmieścimy się w nich oboje razem? – rzuciła pomysł Wioletka.

– Razem? – pochwycił Klaus. – Pewnie tak, nawet w normalnych ubraniach. Każde z nas stanie na jednej nodze, a drugie nogi podkulimy. Przy chodzeniu będziemy się musieli na sobie opierać, ale to chyba do zrobienia.

– Z koszulą tak samo – wpadła mu w słowo Wioletka. – Każde z nas włoży do rękawa jedną rękę, a drugą schowa w środku.

– Tylko drugiej głowy w żaden sposób nie da się schować – zauważył Klaus. – A z dwiema głowami będziemy wyglądali jak...

– ...człowiek dwugłowy – dokończyła Wioletka. – A dwugłowy człowiek to wymarzony eksponat do Gabinetu Osobliwości.

– Brawo! – pochwalił Klaus. – Nikt nas nie rozpozna w człowieku o dwóch głowach. Tylko musimy jeszcze zamaskować twarze.

– Pomoże nam w tym zestaw do charakteryzacji – rzekła Wioletka. – Mama mnie nauczyła malować sztuczne blizny, kiedy grała w tej sztuce o mordercy.

– A tu mamy talk! – oznajmił Klaus. – Ubielimy sobie nim włosy.

– Myślisz, że Hrabia Olaf zauważy zniknięcie tych rzeczy? – zaniepokoiła się Wioletka.

– Wątpię – odparł Klaus. – Straszny tu bałagan, a niektóre stroje wyglądają na dawno nieużywane. Myślę, że możemy spokojnie przebrać się za dwugłowego osobnika, nie budząc podejrzeń Olafa.

– Beriu? – zagadnęło Słoneczko, komunikując: „A ja?".

– To są stroje dla dorosłych – powiedziała Wioletka – ale na pewno zaraz coś dla ciebie znajdziemy. Nie zmieściłabyś się do tego buta? Mogłabyś udawać człowieka, który ma tylko głowę i stopę. Niezły dziwoląg.

– Dzieci – odparło Słoneczko, komunikując coś w sensie: „Jestem już za duża, żeby zmieścić się do buta".

– No tak – potwierdził Klaus. – Sporo czasu minęło, odkąd mieściłaś się do buta.

Sięgnął do bagażnika i wyłowił z niego coś niedużego i włochatego jak szop pracz.

– Ale może to się nada – powiedział. – Zdaje się, że to sztuczna broda, w której Olaf udawał Stefano. Ma w sam raz odpowiednią długość na przebranie dla ciebie.

– Sprawdźmy, jak pasują nasze kostiumy – rzekła Wioletka. – I to szybko.

Sprawdzili bardzo szybko. W parę minut Baudelaire'owie przeistoczyli się bez trudu w całkiem inne osoby. Mieli już, oczywiście, pewną wprawę – w Szpitalu Schnitzel Klaus i Słoneczko nosili dla niepoznaki białe kitle, aby ratować Wioletkę przed operacją, a z dawniejszych czasów, kiedy jeszcze mieszkali z rodzicami w willi Baudelaire'ów, nawet Słoneczko pamiętało, jak wszyscy troje przebierali się nieraz dla zabawy. Tym razem jednak, gdy w milczącym pośpiechu, pod osłoną nocy, zacierali ślady swojej prawdziwej tożsamości, czuli się trochę jak Hrabia Olaf i jego trupa. Wioletka pogrzebała w zestawie do charakteryzacji i znalazła kilka kredek, które normalnie służą do nadawania bardziej dramatycznego wyrazu ludzkim brwiom. Ale chociaż malowanie sztucznych blizn na twarzy Klausa było łatwe i bezbolesne, Wioletka miała wrażenie, iż zdradza obietnicę daną przed laty rodzicom, że zawsze będzie opiekowała się młodszym rodzeństwem i strzegła obojga od złego. Gdy Klaus, owijając Słoneczko sztuczną brodą Olafa, ujrzał nagle oczy i zęby siostrzyczki błyskające z kosmatej sierści, poczuł się tak, jakby oddał Słoneczko na pożarcie jakiejś zgłodniałej bestii. Słoneczko natomiast, pomagając bratu i siostrze w zapinaniu błazeńskiej koszuli i bieleniu włosów talkiem, nie mogło oprzeć się złudzeniu, że Wioletka i Klaus roztapiają się w kostiumie Olafa. Cała trójka spojrzała wreszcie po sobie – i nagle jakby wcale nie było Baudelaire'ów, tylko dwie obce istoty, jedna z dwiema głowami, a druga cała kosmata, zagubione na bezkresnym uroczysku.

– Chyba jesteśmy całkiem nie do poznania – stwierdził Klaus, z trudem odwracając głowę, aby zajrzeć w oczy Wioletce. – Może to dlatego, że zdjąłem okulary, ale mam wrażenie, że wcale nie jesteśmy podobni do siebie.

– Widzisz coś bez okularów? – zaniepokoiła się Wioletka.

– Jak zmrużę oczy – odparł Klaus, mrużąc oczy. – Czytać się tak nie da, ale może nie będę się o wszystko potykał. A w okularach Hrabia Olaf zaraz by mnie poznał.

– W takim razie lepiej ich nie zakładaj. A ja zdejmę wstążkę z włosów.

– Powinniśmy też zmienić głosy – zreflektował się Klaus. – Ja spróbuję mówić jak najcieniej, a ty spróbuj jak najgrubiej, dobrze, Wioletko?

– Świetny pomysł! – pochwaliła Wioletka, najgrubszym głosem, na jaki umiała się zdobyć. – A ty, Słoneczko, najlepiej tylko warcz.

– Wrrr – warknęło na próbę Słoneczko.

– Całkiem jak wilk – orzekła Wioletka, dalej trenując swój sztuczny głos. – Powiemy Madame Lulu, że jesteś wilkołakiem.

– To straszne, urodzić się wilkołakiem! – przemówił Klaus, najpiskliwiej jak zdołał. – Ale urodzić się z dwiema głowami to też nic miłego.

– Oświadczymy Madame Lulu, że nasze dotychczasowe życie było pasmem nieszczęść, ale mamy nadzieję, że dzięki pracy w jej wesołym miasteczku nasz los się odmieni – zaproponowała Wioletka i zaraz westchnęła: – Akurat tego wcale nie musimy udawać. Nasze życie naprawdę było pasmem nieszczęść i naprawdę mamy nadzieję, że tutaj nasz los się odmieni. Jesteśmy prawie takimi dziwolągami, jakie udajemy.

– Nie mów tak – pocieszył ją Klaus, ale zaraz przypomniał sobie, że ma mówić cienko, i zapiszczał: – Nie mów tak. Nie jesteśmy dziwolągami. Jesteśmy nadal rodzeństwem Baudelaire, nawet w kostiumach Olafa.

– Wiem – zadudniła swoim nowym głosem Wioletka. – Ale dziwnie mi udawać, że jestem kimś całkiem innym.

– Wrrr – przyznało jej rację Słoneczko, po czym wszyscy razem poupychali z powrotem rzeczy Hrabiego Olafa w bagażniku i bez słowa ruszyli w stronę barakowozu Madame Lulu. Niewygodnie szło się Wioletce i Klausowi w jednych spodniach, a Słoneczku w kosmatej brodzie, którą musiało sobie co chwila odgarniać z oczu. Dziwnie było udawać, że jest się kimś zupełnie innym, szczególnie że już od dawna Baudelaire'owie tak naprawdę nie byli sobą. Wioletka, Klaus i Słoneczko nie uważali się przecież za dzieci, które normalnie ukrywają się w bagażnikach samochodów, chodzą w przebraniach i starają się o pracę w Gabinecie Osobliwości. Lecz z drugiej strony, nie pamiętali już prawie, jak to jest odpoczywać i robić to, na co ma się ochotę. Wioletce zdawało się, że wieki minęły, odkąd mogła siedzieć sobie spokojnie i obmyślać wynalazki, zamiast naprędce konstruować urządzenia, które pomogą się Baudelaire'om wyrwać z tarapatów. Klaus ledwo już pamiętał ostatnią książkę przeczytaną dla przyjemności, a nie tylko po to, aby przechytrzyć kolejną intrygę Olafa. A Słoneczko, które tak wiele razy użyło swoich słynnych zębów jako sprzętu ratunkowego w trudnych sytuacjach, od dawna już nie gryzło niczego dla rozrywki. Zbliżając się do barakowozu, Baudelaire'owie mieli wrażenie, że każdy kolejny krok oddala ich od prawdziwego życia, a przybliża do udawanego życia cyrkowych dziwolągów – i nie było to w żadnym razie przyjemne uczucie. Słoneczko zapukało, a z wnętrza zabrzmiał głos Madame Lulu:

– Kto tam?

Po raz pierwszy w życiu było to dla Baudelaire'ów trudne pytanie.

– Dziwolągi! – zadudniła Wioletka przebranym głosem. – Jest nas troje... to znaczy dwoje, szukamy pracy.

Drzwi skrzypnęły i otworzyły się, a dzieci po raz pierwszy ujrzały Madame Lulu. Ubrana była w długą, połyskliwą suknię, która zmieniała kolor przy każdym poruszeniu, na głowie zaś miała turban, bardzo podobny do tego, który nosił Hrabia Olaf w Szkole Powszechnej imienia Prufrocka. Oczy Madame Lulu były czarne i przenikliwe, a jej brwi uniosły się dramatycznie, gdy obrzuciła dzieci podejrzliwym spojrzeniem. Za jej plecami, przy okrągłym stoliku, siedzieli Hrabia Olaf, Esmeralda Szpetna i kompani Olafa. Wszyscy z zaciekawieniem patrzyli na dzieci. Jakby nie wystarczyło tylu ciekawskich oczu, gapiło się na Baudelaire'ów jeszcze jedno – szklane oko zawieszone na łańcuszku na szyi Madame Lulu. Było ono dokładnie takie samo jak oko wymalowane na barakowozie i oko wytatuowane na kostce lewej nogi Hrabiego Olafa. To samo oko najwyraźniej śledziło sieroty

Baudelaire na każdym kroku, wciągając je coraz głębiej w niepokojącą tajemnicę ich własnego życia.

– Wejść proszę – powiedziała z dziwnym akcentem Madame Lulu, a przebierańcy spełnili jej polecenie.

Weszli do środka, najdziwaczniej jak umieli, zbliżając się o następne parę kroków do ciekawskich oczu, i o tyle samo kroków oddalając od swojego dawnego życia.

R O Z D Z I A Ł

Trzeci

Oprócz otrzymania kilku wycinków prasowych w jednym dniu albo wiadomości, że ktoś z najbliższej rodziny zdradził nas wrogom, najgorszym życiowym doświadczeniem jest rozmowa wstępna z pracodawcą. To bardzo stresujące, tłumaczyć obcej osobie, co umiemy robić, w nadziei, że ta osoba zechce nam płacić za robienie tego. Swego czasu odbyłem wyjątkowo trudną rozmowę wstępną, podczas której musiałem nie tylko przekonać pracodawcę, że potrafię wcelować strzałą z łuku w owoc oliwki, nie tylko nauczyć się na pamięć trzech stron poematu, nie tylko stwierdzić bez próbowania, czy w serowej zapiekance znajduje się trucizna, ale także zademonstrować wszystkie te umiejętności. W większości przypadków najlepszą strategią w rozmowach wstępnych z pracodawcą jest zachować względną uczciwość, ponieważ wtedy w najgorszym razie nie dostaniemy pracy, o którą zabiegamy, i spędzimy resztę życia na poszukiwaniu żywności po lasach, a schronienia pod drzewami lub pod wiatą nieczynnej kręgielni. Jednak w przypadku sierot Baudelaire rozmowa wstępna o pracy z Madame Lulu toczyła się w sytuacji wyjątkowo dramatycznej. O uczciwości od początku nie mogło być mowy, skoro dzieci były przebrane za całkiem obce sobie osoby, a najgorsze, co mogło je spotkać, to zdemaskowanie przez Hrabiego Olafa i jego trupę, co oznaczałoby spędzenie reszty życia w okolicznościach tak straszliwych, że dzieci wolały sobie tego nawet nie wyobrażać.

– Siadać proszę, Lulu przeprowadzi z wami rozmowa o pracę w wesołe miasteczko – rzekła Madame Lulu, kierując dzieci gestem do okrągłego stolika, przy którym już siedzieli Olaf i jego trupa. Wioletka z Klausem przysiedli z trudem na jednym krześle, a Słoneczko wspięło się na drugie. Obserwowano ich w milczeniu. Trupa podparła się łokciami na stole i zajadała palcami przysmaki naszykowane przez Madame Lulu. Tylko Esmeralda Szpetna sączyła maślankę przez słomkę, a Hrabia Olaf, rozparty na krześle, bardzo, bardzo uważnie przyglądał się Baudelaire'om.

– Jakbym was gdzieś już widział... – powiedział wreszcie.

– Widział dziwolągów już może, mój Olaf – rzekła Madame Lulu. – Jak zwą dziwolągów tych?

– Ja nazywam się Beverly – zabuczała przebranym głosem Wioletka, wymyślając sobie imię z równą łatwością, z jaką umiała wymyślić deskę do prasowania. – A moja druga głowa ma na imię Eliot.

Olaf podał im rękę przez stół. Klaus i Wioletka zawahali się chwilę, próbując ustalić, która z rąk wystających z rękawów jest czyja.

– Miło was poznać – powiedział Olaf. – To chyba trudne, żyć z dwiema głowami, nie?

– O, tak – zapiszczał Klaus jak najcieńszym głosem. – Nie wyobraża pan sobie, jak trudno znaleźć odpowiednie ubrania.

– Patrzę właśnie na waszą koszulę – odezwała się Esmeralda. – Bardzo modny fason.

– Chociaż jesteśmy dziwolągami – odparła Wioletka – staramy się nadążać za modą.

– A jak z jedzeniem? – ożywił się nagle Hrabia Olaf. – Macie kłopoty z jedzeniem?

– No cóż... jak by to powiedzieć... my... – zaczął niepewnie Klaus, ale Hrabia Olaf przerwał mu, podsuwając przez stół srebrny półmisek z długą kolbą kukurydzy.

– Przekonajmy się, czy macie kłopoty – uśmiechnął się szyderczo, a jego kompani zachichotali. – Pokaż, jak jesz tę kukurydzę, dwugłowy dziwolągu.

– Właśnie – podchwyciła Madame Lulu. – Najlepszy sposób przekonać się, czy może pracować w wesołe miasteczko. Jeść kukurydza! Jeść kukurydza!

Wioletka z Klausem spojrzeli po sobie, wyciągnęli każde po jednej ręce po kolbę kukurydzy podsuniętą im przez Olafa, i niezdarnie zbliżyli ją do swoich dwojga ust. Wioletka nachyliła się i nadgryzła pierwszy kęs, ale naciskiem zębów wytrąciła kukurydzę z dłoni Klausa prosto na stół. Barakowóz zatrząsł się od salwy okrutnego śmiechu.

– Widzieliście ich? – zaśmiewała się jedna z bladolicych. – Nie umieją nawet zjeść głupiej kukurydzy! Co za dziwolągi!

– Spróbuj jeszcze raz – polecił Olaf z jadowitym uśmieszkiem. – Podnieś kukurydzę ze stołu, dziwolągu.

Wioletka z Klausem podnieśli kukurydzę i po raz drugi zbliżyli ją do ust. Klaus, zezując na siostrę, spróbował nadgryźć ze swojego końca, ale wtedy Wioletka, chcąc mu pomóc, przesunęła kolbę tak, że wcelowała bratu prosto w oko – i znów wszyscy, oczywiście z wyjątkiem Słoneczka, pokładali się ze śmiechu.

– Komiczne wy dziwolągi! – pochwaliła Madame Lulu, która śmiała się do łez, a ocierając oczy, rozmazała sobie nieznacznie jedną brew, przez co wyglądała teraz, jakby miała siniaka nad okiem. – Jeszcze raz, dziwoląg Beverly-Eliot!

– Uśmiałem się jak nigdy w życiu! – wysapał hakoręki. – Zawsze myślałem, że wrodzone kalectwo to nieszczęście, ale teraz widzę, że to kupa śmiechu!

Wioletka z Klausem mieli chęć zauważyć, że człowiek z hakami zamiast dłoni miałby równie wielkie kłopoty z jedzeniem kukurydzy, wiedzieli jednak, że rozmowa wstępna o pracy to najmniej stosowny moment na dyskusje. Przełknęli więc w milczeniu swoje argumenty, po czym zabrali się do przełykania kukurydzy. Po kilku kęsach zaczęli łapać system, co tu oznacza: „orientować się, w jaki sposób dwie osoby, posługując się tyko dwiema rękami, mogą jeść kukurydzę jednocześnie". Nadal jednak było to zadanie trudne. Kolba kukurydzy była grubo wysmarowana masłem, które ociekało teraz po ustach i podbródkach Klausa i Wioletki. Chwilami kukurydza ustawiała się pod idealnym kątem do gryzienia dla jednego z dzieci, lecz wtedy drugie z nich dźgała w twarz. Najczęściej jednak po prostu wyślizgiwała im się z rąk, co wywoływało wciąż nowe salwy śmiechu.

– To fajniejsze od kidnapingu! – trząsł się ze śmiechu łysy wspólnik Olafa. – Lulu, na tego dziwoląga zjadą się patrzeć ludzie z całej okolicy, a ciebie to będzie kosztowało głupią kolbę kukurydzy!

– Faktycznie, proszę – przyznała Madame Lulu, obrzucając wzrokiem Klausa i Wioletkę. – Publiczność ukochiwa jeść jak świnia. Macie praca w Gabinecie Osobliwości.

– A to drugie? – zainteresowała się Esmeralda, z chichotem ocierając górną wargę, ubrudzoną maślanką. – Co to za dziwoląg, chodzący kołnierz?

– Czabo! – mruknęło do rodzeństwa Słoneczko, komunikując coś w sensie: „Wiem, że to upokarzające, ale przynajmniej widać, że przebrania się sprawdzają!".

Wioletka jednak błyskawicznie przebrała tę wypowiedź w tłumaczenie zmieniające sens:

– To jest Czabo, młody wilkołak – przedstawiła basem. – Jego matka na polowaniu zakochała się w przystojnym wilku, a oto ich nieszczęsne dziecię.

– Nie wiedziałem, że takie coś jest w ogóle możliwe – zdumiał się hakoręki.

– Wrrr – warknęło Słoneczko.

– On też pewnie śmiesznie je kukurydzę – rozochocił się łysy, sięgając po nową kolbę kukurydzy i machając nią Słoneczku przed nosem. – Na, masz, Czabo! Masz tu kukurydzę!

Słoneczko rozdziawiło szeroko buzię, ale łysy na widok zębisk sterczących z futra błyskawicznie cofnął rękę.

– Psiakrew! – zaklął. – Ten dziwoląg jest agresywny!

– Troszkę jest jeszcze dzika – przyznał Klaus, starając się piszczeć jak najcieniej. – Prawdę mówiąc, te blizny na naszych twarzach to po niej, niepotrzebnie ją drażniliśmy.

– Wrrr – zawarczało powtórnie Słoneczko, nadgryzając srebrny półmisek, żeby pokazać, jak bardzo jest dzikie.

– Czabo będzie wielka atrakcja w wesołe miasteczko – oznajmiła Madame Lulu. – Publiczność ukochiwa sceny gwałtu. Masz praca tudzież, Czabo.

– Tylko trzymajcie ją z dala ode mnie – zażądała Esmeralda. – Taki młody wilkołak łatwo może zniszczyć mi ubranie.

– Wrr! – warknęło Słoneczko.

– Chodź, dziwolągi! – zarządziła Madame Lulu. – Madame Lulu pokaże wam barakowozu, proszę, do spania.

– A my tu jeszcze chwilkę posiedzimy i napijemy się wina – rzekł Hrabia Olaf. – Gratuluję nowych dziwolągów, Lulu. Sama widzisz, że przynoszę ci szczęście, tak jak obiecałem.

– Ty każdemu przynosisz szczęście – zagruchała Esmeralda i pocałowała Olafa w policzek. Madame Lulu skrzywiła się na ten widok i wyprowadziła dzieci z barakowozu w ciemną noc.

– Za mną proszę, dziwolągi – powiedziała. – Mieszkanie wasze, proszę, w barakowóz dziwolągów. Z inne dziwolągi wraz – Hugo, Colette i Kevin, same dziwolągi. Codziennie pokaz w Gabinet Osobliwości. Beverly-Eliot kukurydza jeść proszę. Czabo publika atakować proszę. Dziwolągi pytać, czego chcą?

– Czy będziemy dostawać pensję? – spytał Klaus. Doszedł bowiem do wniosku, że Baudelaire'om mogłoby się przydać trochę pieniędzy, gdyby uzyskali odpowiedzi na swoje pytania i mieli szansę ucieczki z wesołego miasteczka.

– Nie, nie, nie! – odparła Madame Lulu. – Madame Lulu nie ma pieniądz dla dziwoląg. Dla dziwoląg szczęście praca. Patrzcie na ten człowiek z haków na ręce – on wdzięczny jest pracować dla Hrabia Olaf, chociaż Olaf nie dawa jemu nic z fortuna Baudelaire'ów.

– Hrabia Olaf? – spytała niewinnie Wioletka, udając, że najgorszy wróg jest dla niej kimś zupełnie obcym. – Czy to ten pan z pojedynczą brwią?

– On to Olaf – potwierdziła Madame Lulu. – On geniusz, tylko nie wolno jemu mówić, co nie trzeba. Madame Lulu zawsze powtarza: daj każdemu, co on chce. Dlatego macie zawsze mówić Olaf, że on geniusz.

– Zapamiętamy to sobie – obiecał Klaus.

– To dobrze, proszę – rzekła Madame Lulu. – Ten barakowóz dla dziwolągi. Witajcie w nowy dom, dziwolągi.

Wróżka zatrzymała się przy barakowozie z wielkim, koślawym napisem DZIWOLĄGI. Litery były częściowo rozmazane i w kilku miejscach ociekały farbą, jakby świeżo je wymalowano, ale cały napis był tak spłowiały, że Baudelaire'owie nie mieli wątpliwości, iż powstał przed wielu laty. Obok barakowozu stał zgrzebny, podziurawiony namiot, z szyldem WITAJCIE W GABINECIE OSOBLIWOŚCI, opatrzonym podobizną dziewczynki z trojgiem oczu. Madame Lulu ominęła szyld i zapukała w drewniane drzwi barakowozu.

– Dziwolągi! – krzyknęła. – Proszę pobudka proszę! Idą nowe dziwolągi, chcą witać się!

– Chwileczkę, Madame Lulu! – zawołał głos zza drzwi.

– Jak chwileczkę? – rozeźliła się Madame Lulu. – Kto tu jest szef wesołego miasteczka?

Drzwi otworzyły się natychmiast i stanął w nich zaspany garbus, co tutaj znaczy: „człowiek z naroślą na plecach w okolicy łopatki, nadającą jego sylwetce nieforemny wygląd". Miał na sobie piżamę rozdartą na ramieniu, żeby pomieścić garb, a w ręku trzymał zapaloną świecę.

– Naturalnie, że pani jest szefową, Madame Lulu – rzekł potulnie – ale mamy środek nocy. Nie zależy pani, żeby dziwolągi należycie się wysypiały?

– Madame Lulu nie uważa na spanie dziwolągi – oświadczyła wyniośle Lulu. – Proszę mówić nowe dziwolągi, co robić na pokaz jutro. Dziwoląg z dwa głowy jeść kukurydza proszę, a mały wilk atakować publika.

– Sceny gwałtu i niechlujne jedzenie – podsumował garbus i westchnął. – Publiczności się to pewnie spodoba.

– Oczywista, że spodoba – zapewniła go Lulu. – A za to więcej pieniądz w wesołe miasteczko.

– I wtedy może nam pani zapłaci? – spytał z nadzieją garbus.

– Jeszcze co proszę! – oburzyła się Madame Lulu. – Dobranoc, dziwolągi.

– Dobranoc, Madame Lulu – odparła Wioletka, która wolała, aby nazywano ją po imieniu, choćby i przybranym, a nie dziwolągiem. Ale wróżka nawet się na nią nie obejrzała, tylko poszła sobie. Baudelaire'owie postali jeszcze chwilę w drzwiach barakowozu, patrząc za odchodzącą w mrok Lulu. Dopiero potem spojrzeli na mężczyznę w piżamie i przedstawili mu się jak należy.

– Nazywam się Beverly – powiedziała Wioletka. – Moja druga głowa ma na imię Eliot, a to jest Czabo, młody wilkołak.

– Wrr! – warknęło Słoneczko.

– Jestem Hugo – zrewanżował się garbus. – Witam nowych kolegów, bardzo mi miło. Wejdźcie głębiej, to przedstawię was reszcie towarzystwa.

Klaus i Wioletka, wciąż jeszcze bardzo niewprawnym krokiem, ruszyli za Hugonem, na końcu zaś podążało Słoneczko – na czworakach, gdyż uznało, że w ten sposób bardziej przypomina półwilka. Wnętrze barakowozu było nieduże, ale schludne i czyste, co widać było nawet przy świeczce Hugona. Pośrodku stał drewniany stoliczek z grą w domino, a dookoła stoliczka kilka krzeseł. W kącie na wieszaku wisiały ubrania, między innymi cały rząd identycznych płaszczy, a obok znajdowało się spore lustro, w którym można było poprawić fryzurę i sprawdzić, czy ogólnie wygląda się jak należy. Była też kuchenka do gotowania posiłków, z porządnie ustawionym kompletem garnków i patelni, a pod oknem, blisko światła, stało kilka roślin doniczkowych. Wioletka dodałaby do tego umeblowania tylko nieduży warsztacik do majstrowania wynalazków, Klaus chętnie wcisnąłby tu parę regałów z książkami, a Słoneczko zadbałoby o stertę surowych marchewek albo innych miłych rzeczy do gryzienia – ale poza tymi drobnymi mankamentami barakowóz sprawiał naprawdę przytulne wrażenie. Jeśli w ogóle czegoś w nim brakowało, to chyba tylko miejsc do spania – lecz idąc za Hugonem jeszcze głębiej, Baudelaire'owie dostrzegli trzy hamaki, czyli długie, szerokie pasy płótna używane zamiast łóżek, pozawieszane pod ścianami. Jeden hamak był pusty – ten zapewne należał do Hugona – ale w drugim, zezując na dzieci z góry, leżała wysoka, chuda kobieta z kręconymi włosami, a w trzecim spał w najlepsze mężczyzna z bardzo pomarszczoną twarzą.

– Kevin! – zawołał Hugo. – Kevin, obudź się! Mamy nowych współpracowników, wstań i pomóż mi zawiesić dla nich hamaki!

Śpioch wyjrzał z góry, marszcząc brwi i piorunując Hugona wzrokiem.

– Szkoda, że mnie obudziłeś – powiedział. – Miałem taki piękny sen, że nic mi nie dolega i nie jestem już dziwolągiem.

Baudelaire'owie przyjrzeli się bacznie Kevinowi, gdy schodził z hamaka, ale nie zauważyli w nim absolutnie niczego dziwacznego. On za to wybałuszył na nich oczy, jakby ujrzał ducha.

– O rany! – wykrztusił. – Widzę, że z wami dwoma jest nie lepiej niż ze mną.

– Trochę kultury, Kevin! – upomniał go Hugo. – To jest Beverly-Eliot, a ten na podłodze to Czabo, młody wilkołak.

– Wilkołak? – speszył się Kevin, podając rękę wspólnej prawej ręce Klausa i Wioletki. – Gryzie?

– Lepiej go nie drażnić – ostrzegła Wioletka.

– Ja też nie lubię, jak mnie ktoś drażni – powiedział Kevin i smutno spuścił głowę. – Ale gdzie się nie ruszę, słyszę wkoło szepty: „Patrzcie, patrzcie, to Kevin, oburęczny dziwak".

– Oburęczny? – zaciekawił się Klaus. – To znaczy, że posługuje się pan równie sprawnie prawą i lewą ręką?

– Więc i wyście już o mnie słyszeli... – zmartwił się Kevin. – I przybyliście specjalnie na uroczysko, żeby obejrzeć kogoś, kto umie się podpisać i lewą, i prawą ręką?

– Nie, nie specjalnie – odparł Klaus. – Ja czytałem tylko kiedyś w książce o oburęczności.

– Od razu czułem, że mądrala z ciebie – powiedział Hugo. – W końcu masz dwa razy tyle rozumu co przeciętny człowiek.

– A ja mam tylko jeden rozum – zasmucił się Kevin. – Jeden mózg, dwie oburęczne ręce i dwie obunożne nogi. Co za dziwoląg!

– I tak to lepiej niż być garbatym – pocieszył go Hugo. – Przynajmniej plecy masz w normie.

– Na co mi plecy w normie – odparł Kevin – jeżeli wyrastają z nich ręce, które z równym powodzeniem posługują się i nożem, i widelcem?

– Nie marudź, Kevin – odezwała się chuda kobieta, po czym zeszła z hamaka i poklepała Kevina po głowie. – Wiem, że to nic miłego być dziwolągiem, ale spójrz na swoją sytuację od dobrej strony. Na pewno masz lepiej niż ja.

Odwróciła się do dzieci z wstydliwym uśmiechem.

– Nazywam się Colette – powiedziała. – Jeśli macie ochotę pośmiać się ze mnie, to nie krępujcie się, najlepiej od razu, żebyśmy już to mieli z głowy.

Baudelaire'owie spojrzeli na Colette, a potem na siebie nawzajem.

– Renuf! – oznajmiło Słoneczko, komunikując coś w sensie: „Ja nic dziwacznego w pani nie widzę, a nawet gdybym widziała, nie śmiałabym się na pewno, bo to niegrzecznie".

– To na pewno śmiech wilka – powiedziała Colette. – Wcale ci się nie dziwię, Czabo, że śmiejesz się z ekwilibrystki.

– Ekwilibrystki? – powtórzyła Wioletka.

– Owszem – westchnęła Colette. – Potrafię wygiąć swoje ciało w dowolny kształt. O, patrzcie.

Baudelaire'owie wytężyli wzrok, a Colette westchnęła raz jeszcze i zademonstrowała im typową serię póz ekwilibrystki. Najpierw wykonała głęboki skłon, umieszczając głowę między nogami, potem zwinęła się w ciasną kulkę na podłodze, potem wystawiła jedną rękę, podparła się o ziemię i na kilku palcach uniosła całe ciało, jednocześnie skręcając nogi w zawiłą spiralę. W końcu wykonała nożyce w powietrzu, chwilę pobalansowała na głowie, splątała razem ręce i nogi jak kupę sznurków – i spojrzała z rezygnacją na Baudelaire'ów.

– No, widzicie? – westchnęła. – Widzicie, jaki ze mnie dziwoląg?

– Joj! – pisnęło Słoneczko.

– To wspaniałe! – zachwyciła się Wioletka. – Czabo też tak uważa.

– Bardzo miło z waszej strony, że tak mówicie – rzekła Colette – ale ja wstydzę się, że jestem ekwilibrystką.

– Skoro się pani wstydzi – zauważył Klaus – to czemu nie porusza się pani normalnie, zamiast wykonywać figury ekwilibrystyczne?

– Bo pracuję w Gabinecie Osobliwości, mój Eliocie – odparła Colette. – Za normalne ruchy nikt tu nie płaci.

– Tak, to ciekawy dylemat – przyznał Hugo, używając dość wykwintnego synonimu słowa „problem", znanego Baudelaire'om z pewnej książki prawniczej, którą czytali w bibliotece Sędzi Strauss. – Wszyscy troje wolelibyśmy być normalnymi ludźmi niż dziwolągami, ale jutro od rana ludzie przyjdą oglądać, jak Colette skręca się w dziwne figury, jak Beverly-Eliot obgryza kukurydzę, jak Czabo warczy i atakuje tłum, jak Kevin podpisuje się obiema rękami i jak ja wkładam jeden ze swoich płaszczy. Madame Lulu zawsze nam powtarza, że ludziom trzeba dawać to, czego pragną, a ludzie chcą oglądać dziwolągi na scenie. No, dość tego gadania, późno już. Kevinie, pomóż mi rozwiesić hamaki dla naszych nowicjuszy, a potem spróbujmy się wszyscy trochę zdrzemnąć.

– Słuszna uwaga – powiedział Kevin. – Podpisuję się pod nią obiema rękami. Och, jak ja bym chciał być albo praworęczny, albo leworęczny!

– Głowa do góry – pocieszyła go Colette. – Może jutro zdarzy się cud i każde z nas otrzyma to, o czym najbardziej marzy.

Nikt w barakowozie nie skomentował słów Colette, ale w czasie, gdy Hugo z Kevinem rozwieszali dwa hamaki dla trójki sierot, Baudelaire'owie zastanowili się głęboko nad tym, co usłyszeli. Z cudami jest jak z klopsami: nikt do końca nie wie, co w nich właściwie jest i skąd pochodzą, ani też jak często powinny się pojawiać w życiu codziennym. Niektórzy ludzie uważają, że wschód słońca to cud, bo jest w nim coś tajemniczego i często pięknego, ale dla innych ludzi wschód słońca to banalny fakt, bo przecież zdarza się codziennie z samego rana. Niektórzy ludzie uważają, że telefon to cud, bo to niezwykłe rozmawiać z osobą oddaloną od nas o tysiące mil, ale dla innych ludzi telefon to po prostu urządzenie mechaniczne, produkowane masowo z elementów metalowych, obwodów elektrycznych i kabli, które bardzo łatwo dają się przeciąć. Według niektórych ludzi, wymknąć się potajemnie z hotelu to cud, zwłaszcza gdy w hallu czyha tłum policjantów, ale dla innych ludzi ucieczka z hotelu to pospolita proza życia, bo uciekają tak codziennie, i to zawsze o nieprzyzwoicie wczesnej porze. Więc albo nam się zdaje, że świat jest pełen cudów, których wprost nie sposób zliczyć, albo że cuda są rzadkością, o której nawet nie warto wspominać – wszystko zależy od tego, czy zaczynamy dzień od wpatrywania się w przepiękny wschód słońca, czy od spuszczania się z okna w ślepy zaułek na linie z powiązanych ręczników.

Był jednak taki cud, o którym rozmyślali teraz Baudelaire'owie, leżąc w hamakach i usiłując zasnąć, a był to dla nich cud większy niż największy znany światu klops. Hamaki poskrzypywały w ciszy barakowozu, gdy Wioletka z Klausem starali się umościć jakoś w pojedynczym stroju, a Słoneczko próbowało tak ułożyć brodę Olafa, żeby jak najmniej kłuła. Wszyscy troje rozmyślali przy tym o cudzie tak niezwykłym i pięknym, że na samą myśl o nim pękały im serca. Cud ten polegał oczywiście na tym, że jedno z ich rodziców mimo wszystko żyje, że któreś z nich – albo tata, albo mama – jakimś cudem przetrwało pożar, który strawił dom Baudelaire'ów i zapoczątkował niefortunną wędrówkę dzieci. Jeszcze jeden żywy przedstawiciel rodziny Baudelaire – to był cud tak wielki i nieprawdopodobny, że dzieci wprost bały się o nim marzyć, ale i tak marzyły. W uszach brzmiały im słowa Colette – że może zdarzy się cud i każdy otrzyma to, o czym najgoręcej marzy. Czekały więc poranka i chwili, w której kryształowa kula Madame Lulu objawi, być może, cud, o którym najgoręcej marzą sieroty Baudelaire.

Nareszcie wzeszło słońce, tak jak to czyni co dzień, o bardzo wczesnej porze. Sieroty Baudelaire, które minionej nocy spały bardzo mało, za to bardzo dużo marzyły, obserwowały teraz, jak barakowóz z wolna napełnia się światłem, słuchały, jak Hugo, Colette i Kevin wiercą się w swoich hamakach, i zastanawiały się, czy Hrabia Olaf już wkroczył do namiotu wróżki i czy czegoś się tam dowiedział. Gdy już ledwo mogły uleżeć z niecierpliwości, na zewnątrz rozległy się pospieszne kroki i zabrzmiało metaliczne stukanie do drzwi.

– Pobudka! Pobudka! – zawołał hakoręki, ale zanim odnotuję, co dalej powiedział, muszę uprzedzić was, że istnieje jeszcze jedno podobieństwo między cudem a klopsem – to mianowicie, że i cud, i klops, może na koniec okazać się czymś innym, niż sądziliśmy z pozoru. Mnie przydarzyło się to raz w stołówce, gdy okazało się, że w podanym mi obiedzie ukryto miniaturową kamerę. A Wioletce, Klausowi i Słoneczku zdarzyło się to właśnie teraz, chociaż dopiero po pewnym czasie stwierdzili, że to, co powiedział hakoręki, znaczyło coś zupełnie innego, niż sądzili, gdy usłyszeli go zza drzwi barakowozu.

– Pobudka! – wrzasnął po raz trzeci, waląc hakami w drzwi. – Wstawać, szybko! Jestem w bardzo złym humorze i nie mam nastroju na wasze fanaberie! Dziś w wesołym miasteczku wielki ruch! Madame Lulu i Hrabia Olaf wyjechali w interesach, ja zarządzam Gabinetem Osobliwości, kryształowa kula powiedziała, że jedno z rodziców tych cholernych Baudelaire'ów dalej żyje, a w barakowozie z upominkami kończy się towar!

ROZDZIAŁ

Czwarty

– Co? Co? – ziewnął Hugo, przecierając oczy. – Co tam?

– Mówię, że w barakowozie z upominkami kończy się towar! – krzyknął zza drzwi hakoręki. – Ale to nie wasz problem. Publiczność już się zjeżdża, więc szykujcie się, dziwolągi, macie być gotowi za piętnaście minut!

– Chwileczkę, proszę pana! – Wioletka, która wraz z bratem, we wspólnych spodniach, gramoliła się właśnie z hamaka, przypomniała sobie w ostatniej chwili, że ma mówić basem. Słoneczko już stało na podłodze, tak oszołomione, że zapomniało warczeć. – Mówił pan, że jedno z rodziców Baudelaire'ów nadal żyje?

Drzwi barakowozu uchyliły się nieznacznie i dzieci dostrzegły w szparze podejrzliwą minę hakorękiego.

– A co was to obchodzi, dziwolągi?

– Nic, my tylko tak, z ciekawości – zapiał cienko Klaus, gorączkowo obmyślając odpowiedź. – Czytaliśmy o Baudelaire'ach w „Dzienniku Punctilio". Bardzo nas zaciekawił przypadek tych trojga młodocianych morderców.

– No tak – uspokoił się hakoręki. – Rodzice tych smarkaczy mieli nie żyć, ale Madame Lulu zajrzała w kryształową kulę i zobaczyła, że jedno żyje. To długa historia, ale wynika z niej, że będziemy mieli kupę roboty. Hrabia Olaf i Madame Lulu wyjechali z samego rana w ważnych interesach, więc ja zarządzam na razie Gabinetem Osobliwości. Czyli ja wam rozkazuję, więc wstawajcie i szykujcie się do występów!

– Wrr! – warknęło Słoneczko.

– Czabo jest już naszykowany do występu – oznajmiła Wioletka – a my też będziemy gotowi, za chwileczkę.

– Spróbujcie nie być! – zagroził hakoręki i już chciał zamknąć drzwi, ale zatrzymał się w ostatniej chwili. – Zabawna rzecz – powiedział. – Jedna blizna ci się jakby zatarła.

– Zacierają się w miarę gojenia – wyjaśnił Klaus.

– To kiepsko – skrzywił się hakoręki. – Z zamazaną wyglądasz mniej dziwacznie.

Zatrzasnął drzwi i słychać było, jak oddala się od barakowozu.

– Żal mi tego człowieka – powiedziała Colette, spuszczając się zamaszyście z hamaka i zwijając w pokrętną figurę na podłodze. – Zawsze jak nas tutaj odwiedza z tym swoim Hrabią, z przykrością patrzę na jego ręce.

– I tak ma lepiej niż ja – ziewnął Kevin, przeciągając się oburęcznie. – Przynajmniej jednym hakiem posługuje się sprawniej niż drugim. A ja mam obie ręce i nogi jednakowo sprawne.

– A ja wybitnie giętkie – westchnęła Colette. – Lepiej zróbmy, co nam kazał ten człowiek, przygotujmy się do występów.

– Słusznie – podsumował Hugo, sięgając na półeczkę przy hamaku po szczotkę do zębów. – Madame Lulu zawsze nam powtarza, że ludziom trzeba dawać to, czego pragną, a ten człowiek chce, żebyśmy zaraz byli gotowi.

– Pozwól, Czabo, że pomogę ci naostrzyć zęby – powiedziała Wioletka, patrząc z góry na siostrzyczkę.

– Wrr! – zgodziło się Słoneczko.

Dwoje starszych Baudelaire'ów wzięło więc siostrzyczkę na ręce i usunęli się w kąt pod lustro, aby naradzić się szeptem, zanim Hugo, Colette i Kevin dopełnią toalety – co tu oznacza: „Wykonają poranne czynności niezbędne w życiu jarmarcznych dziwolągów".

– Jak sądzicie? – spytał Klaus. – Czy to możliwe, że jedno z naszych rodziców żyje?

– Nie wiem – odszepnęła Wioletka. – Z jednej strony, trudno uwierzyć w magiczne działanie kryształowej kuli Madame Lulu. Z drugiej jednak strony, Madame Lulu za każdym razem skutecznie informowała Hrabiego Olafa, gdzie ma nas szukać. Sama nie wiem, w co wierzyć.

– Namot – szepnęło Słoneczko.

– Chyba masz rację, Słoneczko – przyznał Klaus. – Gdyby udało nam się zakraść do namiotu wróżki, może odkrylibyśmy tam coś na własną rękę.

– Szepczecie o mnie po kątach, prawda? – zawołał Kevin z drugiego końca barakowozu. – Na pewno mówicie sobie: „Co za dziwoląg z tego Kevina! Raz się goli lewą ręką, raz prawą, i wszystko mu jedno, bo ma obie ręce dokładnie takie same!”.

– Nie rozmawialiśmy o tobie, Kevinie – zapewniła go Wioletka. – Rozmawialiśmy o sprawie Baudelaire’ów.

– Nigdy nie słyszałem o żadnych Baudelaire'ach – wtrącił Hugo, który właśnie się czesał. – Wspomnieliście coś, że to mordercy?

– Tak piszą w „Dzienniku Punctilio" – odparł Klaus.

– Ja tam nigdy nie czytam gazet – powiedział Kevin. – Kiedy trzymam gazetę w dwóch jednakowo sprawnych rękach, czuję się jak dziwak.

– I tak masz lepiej niż ja – stwierdziła Colette. – Ja umiem przybrać taką pozycję, że podnoszę gazetę językiem. To się nazywa dziwactwo!

– Ciekawa dyskusja – podsumował Hugo, zdejmując z wieszaka jeden z identycznych płaszczy. – Moim zdaniem, wszyscy jesteśmy jednakowo dziwaczni. A teraz chodźmy już i dajmy dobre przedstawienie!

Baudelaire'owie opuścili barakowóz razem z kolegami po fachu i udali się do Gabinetu Osobliwości, przed którym czekał już hakoręki, dzierżąc na jednym haku coś długiego i oślizgłego.

– Właźcie do środka i dajcie dobre przedstawienie – zakomenderował, wskazując klapę wejścia do namiotu. – Madame Lulu powiedziała, że jak nie spełnicie oczekiwań publiczności, mogę ukarać was za pomocą tagliatelle grande.

– Co to jest tagliatelle grande? – spytała Colette.

– Tagliatelle to gatunek włoskiego makaronu – wyjaśnił hakoręki, odwijając z haka długi, oślizgły obiekt. – A grande to po włosku „wielki". – Kompan Olafa zamachał nad głową wielką kluską, która świsnęła ociężale w powietrzu, jakby nieopodal przeczołgała się wielka dżdżownica. – Jak mnie nie będziecie słuchać – ciągnął hakoręki – to was wychłostam tagliatelle grande, a to podobno dość niemiłe i lepkie doświadczenie.

– Spokojna głowa, proszę pana – powiedział Hugo. – Jesteśmy zawodowcami.

– Miło to słyszeć – uśmiechnął się krzywo hakoręki i wszedł za dziwolągami do Gabinetu Osobliwości.

Namiot od środka wydawał się jeszcze większy niż z zewnątrz, głównie dlatego, że niewiele w nim było do oglądania: drewniana scena, na niej kilka składanych krzeseł, a górą transparent z wielkim, koślawym napisem: GABINET OSOBLIWOŚCI. Z boku, przy małym bufecie, jedna z bladolicych sprzedawała napoje chłodzące. Po namiocie kręciło się z siedem czy osiem osób, oczekujących przedstawienia. Madame Lulu wspominała co prawda, że interes w wesołym miasteczku nie idzie, ale Baudelaire'owie spodziewali się jednak nieco większej publiczności na pokazie jarmarcznych dziwolągów. Gdy wraz ze swymi współpracownikami podeszli do sceny, hakoręki przemówił z podium do garstki zebranych jak do wielkiego tłumu.

– Panie i panowie! Chłopcy i dziewczynki! Młodzieży płci obojga! – zaczął uroczyście. – Spieszcie się z kupowaniem naszych wyśmienitych napojów chłodzących, bo za chwilę zaczynamy pokaz Gabinetu Osobliwości!

– Ale dziwolągi! – zachichotał ktoś z widzów, gość w średnim wieku z kilkoma pokaźnymi pryszczami na brodzie. – Patrzcie na tego gościa, co ma haki zamiast rąk!

– Ja nie jestem dziwolągiem! – obruszył się hakoręki. – Ja tu pracuję w administracji!

– O, przepraszam – speszył się gość. – Ośmielę się jednak zauważyć, że gdyby sprawił pan sobie bardziej realistyczne dłonie, nikt nie popełniłby mojego błędu.

– To niekulturalnie robić komentarze na temat czyjegoś wyglądu – skarcił go surowo hakoręki. – Uwaga! Panie i panowie! Spójrzcie ze zgrozą na garbusa Hugona! Co za dziwoląg! Zamiast normalnych pleców ma wielki garb!

– To fakt! – zachichotał pryszczaty, któremu było widocznie wszystko jedno, z kogo się śmieje. – Ale dziwoląg!

Hakoręki machnął nad głową wielką kluską, aby w ten oślizgły sposób przypomnieć Baudelaire'om i ich kolegom, co do nich należy.

– Hugo! – wrzasnął. – Włóż płaszcz!

Przynaglany chichotami publiczności Hugo wystąpił na przód sceny i zaczął nieudolnie ubierać się w płaszcz, który przyniósł w ręku. Zazwyczaj osoba o zdeformowanym ciele idzie do krawca i zleca mu przerobienie nowego stroju tak, aby pasował i wyglądał atrakcyjnie, jednak widok Hugona i jego płaszcza nie pozostawiał wątpliwości, że krawca przy tym nie było. Garb najpierw pofałdował płaszcz na plecach, potem napiął go niebezpiecznie, a w końcu, przy zapinaniu guzików, rozdarł na strzępy. Hugo, czerwony ze wstydu, wycofał się w głąb sceny i usiadł na składanym krześle. Skromna garstka publiczności odprowadziła go salwami śmiechu.

– Boki zrywać, co? – skomentował hakoręki. – Nawet płaszcza nie umie włożyć! Co za dziwoląg! Ale, panie i panowie, to nie wszystko! Oto następna atrakcja! – Kompan Olafa potrząsnął tagliatelle grande, a drugim hakiem sięgnął do kieszeni. Wyciągnął z niej kolbę kukurydzy i ze zjadliwym uśmieszkiem zaprezentował ją publice. – Oto zwykła kolba kukurydzy – oznajmił. – Każdy normalny człowiek umiałby ją zjeść. Ale u nas, w wesołym miasteczku Karnawał Kaligariego, nie ma Gabinetu Normalnych Ludzi. U nas jest Gabinet Osobliwości, a w nim nowość!

Nowy dziwoląg, który z tej kolby kukurydzy zrobi taki obraz nędzy i rozpaczy, że boki zrywać!

Wioletka z Klausem westchnęli i wystąpili na środek sceny. Darujmy sobie kolejny opis ich nudnego występu. Jak się słusznie spodziewacie, dwojgu starszym Baudelaire'om i tym razem polecono zjeść kukurydzę, czemu przyglądała się ze śmiechem grupka widzów. Potem Colette musiała robić dziwne wygibasy, Kevin musiał podpisać się lewą i prawą ręką, a na koniec biedne Słoneczko musiało warczeć na publiczność, chociaż z natury wcale nie było agresywne i znacznie chętniej powitałoby zebranych uprzejmym „dzień dobry". Domyślacie się też zapewne, jak widownia reagowała na każdą nową zapowiedź hakorękiego i na polecenia, które wydawał artystom. Siedmio-, a może ośmioosobowa grupka widzów kwiczała ze śmiechu, wykrzykiwała obelżywe przezwiska i pozwalała sobie na okrutne, niewybredne żarty – a jedna pani rzuciła nawet napojem chłodzącym w papierowym kubku i ze słomką w Kevina, tak jakby ktoś, kto równie sprawnie posługuje się lewą i prawą ręką, zasługiwał na to, by nosić lepkie plamy na koszuli. Nie macie jednak pojęcia – o ile sami nie przeżyliście podobnej sytuacji – jak upokarzające jest występowanie w takim spektaklu. Wydaje wam się może, że tak jak każde upokarzające doświadczenie – na przykład jazda na rowerze, albo rozszyfrowywanie tajnych wiadomości – również i to staje się mniej dokuczliwe po kilku powtórkach. A jednak Baudelaire'owie nie raz już w życiu byli wyśmiewani, i wcale nie uodporniło ich to na przeżycia w Gabinecie Osobliwości. Wioletka dobrze pamiętała Karmelitę Plujko, która wyśmiewała się z niej i przezywała ją w Szkole Powszechnej imienia Prufrocka – a jednak przykro jej było, gdy hakoręki zapowiadał ją na scenie jako dziwoląga. Klaus przypominał sobie, jak szydziła z niego Esmeralda Szpetna, gdy mieszkali w Alei Ciemnej pod numerem 667 – lecz mimo to czerwienił się ze wstydu, kiedy publiczność wytykała go palcami i chichotała za każdym razem, gdy upuścił kukurydzę. A Słoneczko świetnie pamiętało liczne okazje, przy których Hrabia Olaf wyśmiewał się ze wszystkich trzech sierot Baudelaire i ich nieszczęścia – a mimo to z zażenowaniem i lekkim obrzydzeniem słuchało, jak publiczność mówi o nim „dziwoląg wilkołak", kiedy po przedstawieniu wraz z innymi wykonawcami opuszczało namiot. Sieroty Baudelaire wiedziały, oczywiście, że nie są ani człowiekiem o dwóch głowach, ani młodym wilkołakiem – a jednak, siedząc w barakowozie razem z kolegami z pracy, czuły się tak upokorzone, jakby istotnie były dziwolągami, za jakie je tu uważano.

– Nie podoba mi się tutaj – powiedziała Wioletka do Kevina i Colette, cisnąc się na jednym krześle z bratem przy stoliku w barakowozie dziwolągów, przy którym wszyscy czekali, aż Hugo skończy przyrządzać na piecyku gorącą czekoladę. Wioletka była tak przygnębiona, że nieomal zapomniała mówić basem. – Nie lubię, kiedy ludzie się na mnie gapią i śmieją się ze mnie. Jeżeli komuś się wydaje, że upuszczanie kukurydzy na podłogę jest takie śmieszne, to dlaczego nie zostanie w domu i sam sobie nie porzuca kukurydzą?

– Kiwun! – przytaknęło jej Słoneczko, zapominając zupełnie, że ma warczeć. Komunikowało tym sposobem coś w sensie: „Płakać mi się chciało, jak wszyscy mówili na mnie dziwoląg". Na szczęście, zrozumieli to tylko Klaus i Wioletka, więc Słoneczko nie zostało zdemaskowane.

– Nie martwcie się – pocieszył siostry Klaus. – Myślę, że nie zostaniemy tu długo. Namiot wróżki jest dzisiaj zamknięty, bo Hrabia Olaf i Madame Lulu wyjechali w ważnych interesach.

To, że warto byłoby zakraść się tam i sprawdzić, czy kryształowa kula Madame Lulu rzeczywiście zna odpowiedzi na interesujące ich pytania, było dla wszystkich Baudelaire'ów tak oczywiste, że Klaus nie musiał tego dodawać.

– Dlaczego martwi cię, że namiot Lulu jest dzisiaj zamknięty? – zdziwiła się Colette. – Przecież jesteś dziwolągiem, a nie wróżbitą.

– I dlaczego nie chcecie tu zostać? – zdziwił się Kevin. – Fakt, że ostatnio ruch w miasteczku

Karnawał Kaligariego jest niewielki, ale nie ma przecież lepszego miejsca dla dziwolągów.

– Oczywiście, że jest! – zaprotestowała Wioletka. – Na świecie żyje mnóstwo ludzi oburęcznych, Kevinie. Są oburęczne florystki, oburęczni kontrolerzy ruchu lotniczego i oburęczni wykonawcy wielu innych zawodów.

– Naprawdę? – zdumiał się Kevin.

– Naprawdę! – zapewniła go Wioletka. – To samo dotyczy ekwilibrystów i osób garbatych. Każdy z nas może znaleźć taką pracę, przy której wcale nie będzie wydawał się dziwolągiem.

– Nie jestem tego taki pewien – krzyknął Hugo od kuchenki. – Moim zdaniem, osoba z dwiema głowami zawsze i wszędzie uchodzić będzie za dość dziwną.

– To samo da się chyba powiedzieć o oburęcznych – westchnął Kevin.

– Spróbujmy zapomnieć o kłopotach i zagrać w domino – zaproponował Hugo, przynosząc tacę z sześcioma parującymi kubkami gorącej czekolady. – Pomyślałem, że może każda głowa zechce napić się oddzielnie – wyjaśnił z uśmiechem. – Szczególnie, że jest to dość niezwykła czekolada. Czabo, nasza młoda wilkołaczka, dodała odrobinę cynamonu.

– Czabo dodała cynamonu? – zdumiał się Klaus, a Słoneczko warknęło skromnie.

– Owszem – potwierdził Hugo. – Z początku myślałem, że to jakaś dziwaczna wilcza receptura, ale wyszło całkiem smacznie.

– A to ci sprytny pomysł, Czabo – pochwalił Klaus, mrugając z uśmiechem do siostrzyczki. Zdawało się, że jeszcze tak niedawno najmłodsza z Baudelaire'ów nie potrafiła chodzić i mieściła się łatwo do ptasiej klatki, a tu proszę – rozwija własne zainteresowania i tak urosła, że może udawać półwilka.

– Tak, powinnaś być z siebie dumna, Czabo – potwierdził Hugo. – Gdyby nie to, że jesteś dziwolągiem, byłaby z ciebie wyśmienita szefowa kuchni.

– Czabo i tak może zostać szefową kuchni – powiedziała Wioletka. – Eliocie, może wyszlibyśmy na zewnątrz podelektować się tą gorącą czekoladą?

– Świetny pomysł – zgodził się bez wahania Klaus. – Zawsze byłem zdania, że gorącą czekoladę należy pić na powietrzu. A przy okazji chciałbym zajrzeć do barakowozu z upominkami.

– Wrr – warknęło Słoneczko, co starsi Baudelaire'owie natychmiast zrozumieli jako: „Idę z wami!", i podczołgało się na czworakach do Wioletki i Klausa, którzy nieporadnie wstawali z krzesła.

– Ale wracajcie szybko – rzekła Colette. – Nam nie wolno wałęsać się po wesołym miasteczku.

– Wypijemy tylko czekoladę i zaraz wracamy – obiecał Klaus.

– Mam nadzieję, że nie wpakujecie się w jakieś kłopoty – powiedział Kevin. – To byłoby straszne, gdybyście oberwali po obu głowach tagliatelle grande.

Baudelaire'owie już mieli zauważyć, że uderzenie tagliatelle grande jest pewnie całkiem bezbolesne, ale w tej samej chwili usłyszeli odgłos znacznie bardziej przerażający niż świst wielkiej kluski w powietrzu. Nawet do wnętrza karawanu dobiegł donośny, zgrzytliwy rumor, znany dzieciom z długiej podróży na uroczysko.

– Zdaje się, że to ten wytworny przyjaciel Madame Lulu – odgadł Hugo. – To odgłos jego samochodu.

– Słyszę coś jeszcze – powiedziała Colette. – Nadstawcie ucha.

Dzieci nadstawiły ucha i stwierdziły, że ekwilibrystka ma rację. Rykowi silnika towarzyszył inny ryk, głębszy i wścieklejszy niż warkot jakiegokolwiek automobilu. Baudelaire'owie wiedzieli co prawda, że nie należy niczego sądzić po dźwięku, tak jak i po wyglądzie, ale ten ryk był tak głośny i groźny, że nie umieli sobie wyobrazić, iż zwiastuje dobre nowiny.

Tu muszę przerwać historię, którą piszę, aby przedstawić wam inną opowieść, ilustrującą pewien ważny morał. Ta druga historia jest fikcyjna, co tu oznacza: „ktoś ją wymyślił w jeden dzień" – w przeciwieństwie do historii sierot

Baudelaire, którą ktoś stopniowo spisywał, i to najczęściej po nocach. Opowieść druga nosi tytuł *Historia o Królowej Deborze i Jej Narzeczonym Toniu*. A oto, mniej więcej, jej treść:

Historia o Królowej Deborze i Jej Narzeczonym Toniu

Dawno, dawno temu żyła sobie fikcyjna królowa imieniem Debora, która rządziła krajem, gdzie rozgrywa się ta historia, a jest to kraj zmyślony. W owym fikcyjnym kraju rosły wszędzie drzewa lizakowe i żyły w nim śpiewające myszy, które wykonywały wszystkie domowe zajęcia, a także groźne i fikcyjne lwy, które strzegły pałacu przed fikcyjnymi wrogami. Królowa Debora miała narzeczonego imieniem Tonio, który mieszkał w sąsiednim fikcyjnym królestwie. Ponieważ mieszkali tak daleko od siebie, nie widywali się zbyt często, tylko od czasu do czasu wybierali się do restauracji albo do kina, albo robili razem jakieś inne fikcyjne rzeczy.

W dniu urodzin Tonia Królowa Debora miała akurat jakieś ważne królewskie zajęcia, więc nie mogła udać się w odwiedziny do narzeczonego, ale posłała mu ładną kartkę z życzeniami i szpaka w pozłacanej klatce.

Wiadomo, że po otrzymaniu prezentu wypada wysłać do ofiarodawcy liścik z podziękowaniem, ale Tonio nigdy się specjalnie nie przejmował tym, co wypada, więc zadzwonił do Debory z pretensjami.

– Debora? Tu mówi Tonio. Słuchaj, Debora, dostałem twój prezent, ale wcale nie jestem zadowolony.

– Przykro mi to słyszeć – powiedziała Królowa Debora, zrywając lizaka z pobliskiego drzewa. – Szpaka dla ciebie wybierałam osobiście. A co wolałbyś dostać?

– Spodziewałem się od ciebie raczej worka cennych diamentów – odparł Tonio, który był równie chciwy, jak fikcyjny.

– Diamentów? – zdziwiła się Królowa Debora. – Ależ szpak potrafi cię rozweselić, gdy będziesz smutny. Możesz go wytresować, aby siadał ci na dłoni, a nawet nauczyć ludzkiej mowy.

– Wolę diamenty – kaprysił Tonio.

– Przecież diamenty są niezwykle wartościowe – zauważyła Krolowa Debora. – Jeżeli prześlę ci je pocztą, na pewno zostaną ukradzione po drodze, a wtedy w ogóle nie dostaniesz prezentu na urodziny.

– Chcę diamentów! – marudził Tonio, co doprawdy stawało się już nudne.

– Wiem, co zrobić – uśmiechnęła się smętnie Królowa Debora. – Nakarmię diamentami królewskie lwy i poślę je do twojego królestwa. Nikt nie ośmieli się zaczepić po drodze dzikich lwów, więc diamenty dotrą bezpiecznie na miejsce.

– Tylko się pospiesz – ponaglił ją Tonio. – To miał być mój wielki dzień.

Królowej Deborze łatwo było się pospieszyć, ponieważ wszystkie prace domowe wykonywały za nią śpiewające myszy. W parę minut nakarmiła więc swoje lwy diamentami, zawijając wpierw każdy klejnot w plaster tuńczyka, żeby lwy zechciały je jeść. Następnie poleciła lwom udać się do sąsiedniego królestwa i dostarczyć prezent solenizantowi.

Tonio cały dzień czekał zniecierpliwiony przed domem. Przez ten czas zdążył zjeść całe lody i tort, *a potem z nudów zabrał się do drażnienia szpaka. W końcu, mniej więcej o zachodzie słońca, ujrzał na horyzoncie nadbiegające lwy i puścił się ku nim, aby odebrać swój prezent.*

– Dawajcie diamenty, głupie lwiska! – zażądał głośno...

...no i nie muszę wam opowiadać dalszej historii, bo morał jej jest dość oczywisty: „Darowanemu lwu nie zagląda się w zęby”. Rzecz w tym, że niekiedy pojawienie się stada lwów jest dobrą nowiną, zwłaszcza w historii fikcyjnej, gdzie lwy nie są prawdziwe i zapewne nie wyrządzą nam krzywdy. Zdarza się – jak w przypadku Królowej Debory i jej narzeczonego Tonia – że pojawienie się lwów zwiastuje jak najbardziej pomyślny obrót zdarzeń.

Informuję was jednak ze smutkiem, że przypadek sierot Baudelaire nie zalicza się do tej szczęśliwej kategorii. Historia Baudelaire’ów nie rozgrywa się w fikcyjnej krainie, gdzie na drzewach rosną lizaki, a obowiązki domowe wykonują śpiewające myszy. Historia Baudelaire’ów rozgrywa się w świecie jak najbardziej realnym, gdzie człowiek może stać się pośmiewiskiem tłumów tylko dlatego, że jest ułomny, albo gdzie dzieci mogą zostać zupełnie same i bezskutecznie dążyć do zrozumienia mrocznej tajemnicy, która je otacza. A w tym realnym świecie pojawienie się lwów zwiastuje jak najbardziej niepomyślny obrót zdarzeń. Więc jeśli nie trawicie takich historii – tak jak lwy nie trawią diamentów, nawet zawiniętych w plastry tuńczyka – to radzę wam zostawić tę książkę i zmykać czym prędzej, czego, niestety, nie mogli uczynić Baudelaire'owie, którzy właśnie wyszli z barakowozu i ujrzeli, co przywiózł Hrabia Olaf ze swej podróży w ważnych interesach.

Hrabia Olaf wjechał swoim czarnym automobilem między rzędy barakowozów, omal nie miażdżąc po drodze kilkorga gości wesołego miasteczka, i zatrzymał się dopiero przed namiotem Gabinetu Osobliwości. Tam zgasił silnik, uciszając w ten sposób zgrzytliwy hałas, który był już znany Baudelaire'om. Jednak drugi, wścieklejszy hałas, grzmiał nadal, kiedy Olaf, a za nim Madame Lulu wysiedli z samochodu i Olaf teatralnym gestem wskazał dołączoną do auta przyczepę. Była to właściwie metalowa klatka na kołach, przez której pręty Baudelaire'owie ujrzeli to, na co wskazywał łotr.

Przyczepa była wypełniona lwami, i to tak ciasno, że dzieci nie potrafiły ich zliczyć. Lwy były niezadowolone z podróży w takiej ciasnocie, a swoje niezadowolenie wyrażały drapaniem pazurami o pręty klatki, wzajemnym podgryzaniem się długimi zębiskami, oraz niesamowicie głośnym i wściekłym rykiem.

Zaraz zbiegła się część kompanów Olafa i parę osób z publiczności, zaciekawionych tym, co się dzieje.

Olaf próbował coś do nich mówić, ale nie miał szans przekrzyczeć ryku lwów. Zmarszczywszy gniewnie brwi, wyciągnął więc z kieszeni zwinięty pejcz i smagnął nim lwy przez pręty klatki. Zwierzęta, podobnie jak ludzie, boją się i zaczynają być posłuszne, gdy bić je dostatecznie długo, więc i lwy po chwili uciszyły się, a Olaf mógł wygłosić swoje obwieszczenie.

– Panie i panowie! – zawołał. – Chłopcy i dziewczęta, dziwacy i normalniacy! Karnawał Kaligariego z dumą ogłasza przybycie dzikich lwów, które staną się nową atrakcją naszego wesołego miasteczka!

– To dobra nowina – odezwał się ktoś z tłumu – bo pamiątki w sklepie z upominkami są beznadziejne.

– To istotnie dobra nowina! – przyznał ze zjadliwym uśmieszkiem Hrabia Olaf, odwracając się do Baudelaire'ów. Oczy błyszczały mu tak niesamowicie, że dzieci aż zadrżały w swoich przebraniach, gdy spojrzał najpierw na nie, a potem na resztę zgromadzonych. – Oznacza to dla nas wszystkich bardzo pomyślny obrót zdarzeń – zapewnił słuchaczy Hrabia Olaf, ale sieroty Baudelaire doskonale wiedziały, że zapewnienie to jest fikcją, jakiej świat nie widział.

ROZDZIAŁ
Piąty

Jeśli zdarzyło wam się przeżyć coś, co wygląda dziwnie znajomo, jakby dokładnie ta sama rzecz już kiedyś się zdarzyła, to doświadczyliście tego, co Francuzi nazywają *déjà vu*. Jak większość francuskich wyrażeń – na przykład *ennui*, które jest wyszukanym określeniem skrajnej nudy, albo *la petite mort*, które oznacza, że coś w nas umarło – także i *déjà vu* odnosi się do zjawisk raczej nieprzyjemnych, bo istotnie, nie jest zbyt miło usłyszeć lub zobaczyć dokładnie to samo, co się już kiedyś słyszało lub widziało.

R O Z D Z I A Ł

Piąty

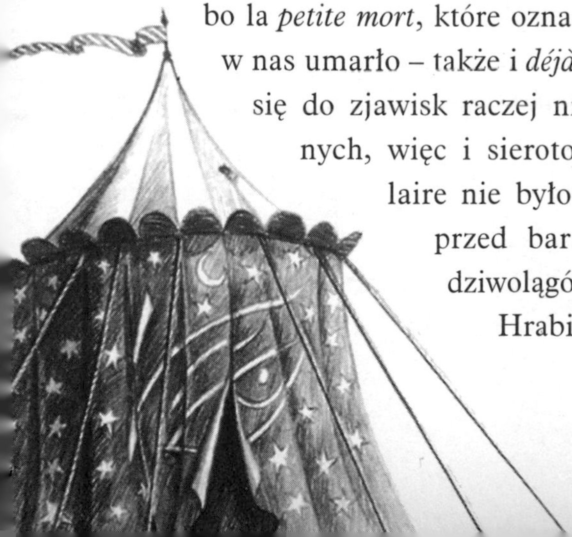

Jeśli zdarzyło wam się przeżyć coś, co wygląda dziwnie znajomo, jakby dokładnie ta sama rzecz już kiedyś się zdarzyła, to doświadczyliście tego, co Francuzi nazywają *déjà vu*. Jak większość francuskich wyrażeń – na przykład *ennui*, które jest wyszukanym określeniem skrajnej nudy, albo la *petite mort*, które oznacza, że coś w nas umarło – także i *déjà vu* odnosi się do zjawisk raczej nieprzyjemnych, więc i sierotom Baudelaire nie było miło stać przed barakowozem dziwolągów, słuchać Hrabiego Olafa i doznawać tego naprawdę bardzo osobliwego uczucia *déjà vu*.

– Te lwy staną się największą atrakcją Karnawału Kaligariego! – obwieścił Olaf coraz większym tłumom, które, gnane ciekawością, zbierały się wokół miejsca zamieszania. – Każdy, kto nie jest zakutym łbem, wie doskonale, że nawet najbardziej uparty osioł pójdzie tam, gdzie należy, kiedy będzie miał przed sobą marchewkę, a za sobą kij. Będzie szedł za marchewką, a uciekał przed kijem, żeby nie zasłużyć na bolesną karę. To samo robić będą nasze lwy.

– Co tu się dzieje? – spytał Baudelaire'ów Hugo, który właśnie wyszedł z barakowozu, a tuż za nim Colette i Kevin.

– *Déjà vu* – skrzywiło się Słoneczko.

Nawet najmłodsze z rodzeństwa Baudelaire'ów rozpoznało okrutne słowa Hrabiego Olafa o upartym ośle z czasów, gdy wszyscy troje u niego mieszkali. Wtedy Olaf mówił o upartym ośle, aby zmusić Wioletkę do małżeństwa, które na szczęście zostało w ostatniej chwili udaremnione –

teraz tymi samymi słowami zapowiadał najwyraźniej nową intrygę, budząc w dzieciach przykry niepokój.

– Te lwy – ciągnął Olaf – będą mnie słuchać, żeby uniknąć mojego pejcza!

To mówiąc, znów zamachnął się batem na lwy, te zaś skuliły się trwożnie za prętami klatki, co część publiki nagrodziła oklaskami.

– Jeżeli bat jest kijem, to co jest marchewką? – spytał łysy mężczyzna z tłumu.

– Marchewką? – powtórzył Olaf i zaśmiał się wyjątkowo nieprzyjemnie. – Nagrodą dla posłusznych lwów będzie wyśmienity posiłek. Lwy są, jak wiadomo, mięsożerne, a u nas, w wesołym miasteczku Karnawał Kaligariego, dostawać będą najlepsze mięso, jakie mamy. – Odwrócił się, aby wskazać batem wejście do barakowozu dziwolągów, przed którym stali Baudelaire'owie i ich koledzy po fachu. – Dziwolągi, które państwo tu widzą, nie są normalnymi ludźmi i z tego powodu wiodą żywot opłakany. Z radością poświęcą się więc w imię rozrywki.

– Naturalnie, że tak – zapewniła wszystkich Colette. – Robimy to codziennie.

– A więc nie macie nic przeciwko temu, aby stać się gwoździem numeru z lwami – podsumował Olaf. – Lwy nie będą otrzymywały regularnych posiłków, dzięki czemu przed każdym pokazem będą bardzo, bardzo głodne. A my codziennie, zamiast występów w Gabinecie Osobliwości, wybierzemy na chybił trafił jednego dziwoląga i rzucimy go lwom na pożarcie na oczach publiczności.

Tłum znowu odpowiedział owacją i wiwatami, tylko Hugo, Colette, Kevin i Baudelaire'owie zachowali pełne zgrozy milczenie.

– To ci będą emocje! – rozradował się pryszczaty. – Pomyśleć tylko: sceny gwałtu i niechlujne jedzenie naraz, w jednym fantastycznym pokazie!

– Święte słowa! – poparła go stojąca obok kobieta. – Już jedzenie kukurydzy przez dwugłowego było okropnie śmieszne, więc o ile zabawniej będzie patrzeć, jak sam dwugłowy jest jedzony!

– Ja bym wolał zobaczyć, jak jedzą garbusa – grymasił ktoś z tłumu. – Garbus jest najśmieszniejszy! Nawet nie ma normalnych pleców!

– Pokazy zaczną się od jutrzejszego popołudnia! – ogłosił Hrabia Olaf. – Do zobaczenia państwu!

– Nie mogę się doczekać! – powiedziała ta sama kobieta, gdy tłum zaczął się rozpraszać, co tu oznacza: „kierować do kiosku po pamiątki albo ku wyjściu z wesołego miasteczka". – Muszę natychmiast opowiedzieć o tym swoim znajomym.

– A ja powiadomię redakcję „Dziennika Punctilio" – powiedział pryszczaty, kierując się ku budce telefonicznej. – To wesołe miasteczko stanie się słynne, może napiszą o nim w gazecie.

– Miałeś rację, szefie – rzekł hakoręki. – Zanosi się na bardzo pomyślny obrót zdarzeń.

– Oczywista, że ma racja, proszę – uśmiechnęła się Madame Lulu. – On geniusz, on dzielny i szlachetny. On geniusz, bo wymyśla pokazać lwy, proszę. On dzielny, bo ubija pejczem lwów, proszę. On szlachetny, bo oddawa lwów do Lulu.

– On dał pani te lwy? – rozległ się złowieszczy głos. – W prezencie?

Ponieważ większość publiczności się rozeszła, Baudelaire'owie bez trudu dostrzegli Esmeraldę Szpetną, która wyszła właśnie z innego barakowozu i zmierzała w stronę Hrabiego Olafa oraz Madame Lulu. Mijając klatkę z lwami, przeciągnęła po prętach swymi niesamowicie długimi paznokciami, a lwy zaskowytały ze strachu.

– Co ja słyszę? Dałeś jakieś lwy Madame Lulu? – zagadnęła Olafa. – A co masz dla mnie?

Hrabia Olaf podrapał się po głowie kostropatą dłonią. Minę miał dość zakłopotaną.

– Nic – przyznał w końcu. – Ale mogę podzielić się z tobą pejczem.

Madame Lulu przysunęła się do Olafa i cmoknęła go w policzek.

– On dawa lwy do mnie – powiedziała – za znakomitych wróżbów moich.

– Szkoda, że tego nie widziałaś, Esmeraldo – ożywił się Olaf. – Wchodzimy z Lulu do namiotu wróżki, gasimy światło, a kryształowa kula zaraz zaczyna magicznie szumieć. Potem – trach! – strzela nad nami magiczna błyskawica. Madame Lulu każe mi się jak najlepiej skoncentrować. Zamykam oczy, a ona patrzy w kryształową kulę i mówi mi, że jedno z rodziców Baudelaire'ów żyje i ukrywa się w Górach Grozy. No to w nagrodę dałem jej te lwy.

– A więc Madame Lulu też nie może się obejść bez marchewki? – zachichotał hakoręki.

– Jutro z samego rana – zignorował go Olaf – Madame Lulu ponownie zasięgnie rady kryształowej kuli i powie mi, gdzie się ukrywają Baudelaire'owie.

Esmeralda spiorunowała wzrokiem Madame Lulu.

– I co za to dostanie? – spytała zjadliwie.

– Bądźże rozsądna, moja droga – upomniał narzeczoną Hrabia Olaf. – Dzięki lwom Karnawał Kaligariego zyska na popularności, a Madame Lulu będzie mogła cały czas przeznaczyć na wróżenie i podawanie nam informacji niezbędnych do zagarnięcia fortuny Baudelaire'ów.

– Nie chciałbym krytykować pomysłu – rzekł z wahaniem Hugo – ale czy nie ma innego sposobu na popularyzację wesołego miasteczka, bez rzucania nas na pożarcie lwom? Przyznam szczerze, że ta sprawa trochę mnie niepokoi.

– Słyszałeś chyba reakcję publiczności na ogłoszenie nowej atrakcji – odparł mu Hrabia Olaf. – Ludzie nie mogą się doczekać, kiedy zobaczą, jak cię pożerają lwy, a przecież obowiązkiem nas wszystkich jest dawać ludziom to, czego pragną. Twoim obowiązkiem jest wracać do barakowozu dziwolągów i siedzieć tam do jutra. My tymczasem wykonamy swój obowiązek i wykopiemy dół.

– Dół? – zdziwiła się jedna z bladolicych. – Na co nam dół?

– Do trzymania w nim lwów – wyjaśnił Olaf – żeby żarły tylko dziwolągi, które tam wskoczą. Najlepiej wykopmy dół pod kolejką górską.

– Dobry pomysł, szefie – pochwalił łysy.

– Łopaty w barakowóz z narzędzioma – powiedziała Lulu. – Pokazuję, proszę.

– Nie mam zamiaru kopać żadnych dołów – obwieściła Esmeralda w ślad za odchodzącymi. – Jeszcze złamałby mi się paznokieć. Poza tym, muszę się rozmówić z Hrabią Olafem. Na osobności.

– No, niech ci będzie – skrzywił się Hrabia Olaf. – Chodźmy do barakowozu dla gości, tam nikt nam nie będzie przeszkadzał.

Olaf z Esmeraldą oddalili się w jedną stronę, a Madame Lulu poprowadziła kompanów Olafa w przeciwną. Dzieci zostały same ze swoimi współpracownikami.

– Wejdźmy do środka – powiedziała Colette. – Może wymyślimy jakiś sposób, żeby nie dać się zjeść.

– Och, nie myślmy już o tych krwiożerczych stworzeniach – zadrżał Hugo. – Zagrajmy lepiej w domino.

– Czabo, moja druga głowa i ja wrócimy do was za chwileczkę – powiedziała Wioletka. – Chcemy spokojnie dopić czekoladę.

– No to smacznego – odrzekł ponuro Kevin, wlokąc się za Hugonem i Colette do barakowozu dziwolągów. – Może to wasza ostatnia gorąca czekolada w życiu.

Kevin zamknął drzwi za sobą obiema rękami, a Baudelaire'owie oddalili się od barakowozu, żeby porozmawiać bez obawy, że zostaną podsłuchani.

– Gorąca czekolada z cynamonem to doskonały pomysł, Słoneczko – pochwaliła Wioletka. – A jednak trudniej mi się teraz nią delektować.

– Ifikat – przyznało Słoneczko, komunikując: „Mnie też".

– Mam niesmak po ostatnim wystąpieniu Hrabiego Olafa – powiedział Klaus. – Na to nawet cynamon nie pomoże.

– Trzeba się dostać do namiotu wróżki – stwierdziła Wioletka. – Właśnie teraz mamy, być może, jedyną szansę.

– Myślisz, że to prawda? – spytał Klaus. – Że Madame Lulu rzeczywiście coś widzi w tej swojej kryształowej kuli?

– Nie wiem – odparła Wioletka. – Za to wiem dość o elektryczności, żeby mieć pewność, że błyskawica nie może pojawić się we wnętrzu namiotu. Tam się dzieje coś tajemniczego, a my musimy zbadać, co to jest.

– Ciau! – dodało Słoneczko, komunikując: „Zanim rzucą nas na pożarcie lwom!".

– Ale jak sądzisz, czy to prawda? – nie ustępował Klaus.

– Nie wiem – powtórzyła Wioletka z irytacją, co tu oznacza: „Swoim zwyczajnym głosem, zapominając ze zmartwienia, że chodzi w przebraniu". – Nie wiem, czy Madame Lulu naprawdę jest wróżką. Nie wiem, skąd Hrabia Olaf za każdym razem dowiaduje się, gdzie nas szukać, nie wiem, gdzie się znajdują akta Snicketa ani dlaczego ktoś inny nosił tatuaż Olafa, ani co znaczy WZS, ani też nie wiem, po co istnieje tajne przejście podziemne do naszego domu, ani...

– Czy nasi rodzice żyją? – dokończył za nią Klaus. – Nie wiesz, czy któreś z naszych rodziców naprawdę żyje?

Głos Klausa zadrżał, a siostry odwróciły się do niego – co dla Wioletki, ubranej z bratem we wspólną koszulę, było zadaniem dość trudnym – i zobaczyły, że średni Baudelaire płacze. Wioletka przytuliła głowę do jego głowy, a Słoneczko, odstawiwszy kubek, podczołgało się i objęło brata za kolana, i stali tak wszyscy troje dłuższą chwilę, w zupełnym milczeniu.

Żal – rodzaj smutku, którego doświadczamy najczęściej po stracie kochanej osoby – to podstępne uczucie, bo potrafi zniknąć nawet na długo, a potem nagle zjawić się z powrotem, w najmniej spodziewanym momencie. Ja, kiedy tylko mogę, odbywam długie poranne spacery Pochlapaną Plażą, bo ranek to najlepsza pora na znajdowanie cennych materiałów związanych ze sprawą Baudelaire'ów. Ocean bywa wtedy spokojny, więc i ja jestem spokojny, jakbym już wcale nie odczuwał żalu po ukochanej kobiecie, której już nigdy nie zobaczę. Lecz wystarczy, abym nagle – gdy zziębnięty chowam się do kawiarenki, której właściciel już tam na mnie czeka – sięgnął po cukiernicę na stole, a mój żal natychmiast powraca i mimo woli zaczynam gorzko szlochać, tak głośno, że inni goście pytają mnie uprzejmie, czy mógłbym z łaski swojej szlochać trochę ciszej. Żal sierot Baudelaire przypominał bardzo ciężki przedmiot, który Wioletka, Klaus i Słoneczko dźwigali na zmianę, żeby nie musieli przez cały czas dźwigać go razem, ale od czasu do czasu dla któregoś z nich ten przedmiot okazywał się zbyt ciężki i nie dawało się go unieść bez płaczu. Stojąc przy Klausie, Wioletka i Słoneczko przypominały mu, że mogą ponieść ten ciężar wszyscy razem, dopóki nie znajdą bezpiecznego miejsca, w którym będą mogli go złożyć.

– Przepraszam cię, że się tak zezłościłam, Klaus – powiedziała Wioletka. – Ale jest tyle rzeczy, których nie wiemy, że trudno myśleć o nich wszystkich równocześnie.

– Citfi – powiedziało Słoneczko, komunikując: „Ale ja nie umiem nie myśleć o naszych rodzicach".

– Ja też nie – przyznała Wioletka. – Ciągle się zastanawiam, czy któreś z nich przeżyło pożar.

– A jeśli tak, to czemu ukrywa się teraz gdzieś daleko? – dodał Klaus. – Dlaczego nie próbuje nas odnaleźć?

– Może próbuje – szepnęła Wioletka. – Może szuka nas wszędzie, tylko nie umie znaleźć, bo sami się od dawna ukrywamy i przebieramy.

– W takim razie dlaczego nasza mama, albo tata, nie skontaktuje się z panem Poe? – spytał Klaus.

– Sami nieraz chcieliśmy się z nim skontaktować – przypomniała Wioletka – ale pan Poe nie odpowiada na nasze telegramy ani nie odbiera telefonów. Jeżeli któreś z naszych rodziców przetrwało pożar, to może też ma teraz takiego pecha.

– Galfuskin – podsumowało Słoneczko, komunikując coś w sensie: „Wszystko to jest jedna wielka zagadka. Pójdźmy lepiej do namiotu wróżki i tam spróbujmy ustalić coś na pewno, i to najlepiej zaraz, zanim wszyscy wrócą".

– Masz rację, Słoneczko – powiedziała Wioletka i odstawiła kubek obok kubka Słoneczka. Klaus też odstawił swój, po czym trójka Baudelaire'ów oddaliła się przebranym krokiem od swojej gorącej czekolady. Wioletka z Klausem szli pokracznie we wspólnych spodniach, podpierając się o siebie na każdym kroku, a Słoneczko gramoliło się obok nich na czworakach, żeby wyglądać jak półwilk, na wypadek gdyby ktoś podglądał ich z daleka. Tak dotarli przez całe wesołe miasteczko do namiotu wróżki. Nikt jednak nie podglądał sierot Baudelaire. Publiczność wesołego miasteczka rozeszła się do domów, chcąc jak najprędzej powiadomić znajomych o zaplanowanym na następny dzień pokazie lwów. Współpracownicy Baudelaire'ów siedzieli w barakowozie, biadając nad swym losem, co tu oznacza: „grając w domino, zamiast obmyślać sposób wybrnięcia z tarapatów". Madame Lulu z asystentami Olafa kopała dół pod torami górskiej kolejki, wciąż obrośniętej bluszczem. Hrabia Olaf z Esmeraldą Szpetną kłócili się w barakowozie gościnnym na samym skraju wesołego miasteczka, gdzie ja sam nocowałem przed laty z moim bratem, natomiast reszta pracowników

Madame Lulu zamykała właśnie Karnawał Kaligariego, z nadzieją, że pewnego dnia będą mieli szczęście pracować w jakiejś lepszej instytucji. Nikt więc nie widział, jak dzieci doszły do namiotu sąsiadującego z barakowozem Madame Lulu i zatrzymały się na chwilę przed klapą jego wejścia.

Namiotu wróżki nie ma już na terenie Karnawału Kaligariego ani też nigdzie indziej. Kto dziś zapuściłby się na poczerniałe i opuszczone uroczysko, ten nie dostrzegłby żadnych właściwie śladów po namiotach. A nawet gdyby wszystko wyglądało tam tak samo jak w czasie pobytu sierot Baudelaire, wątpliwe, czy którykolwiek wędrowiec zrozumiałby sens dekoracji namiotu wróżki, gdyż w dzisiejszych czasach niewielu już zostało ekspertów w tej dziedzinie, a ci, co pozostali, żyją w opłakanej sytuacji lub – jak w moim przypadku – są na najlepszej drodze do opłakanej sytuacji, lecz wciąż mają nadzieję na jej złagodzenie. Za to sieroty Baudelaire – które, jak pewnie pamiętacie, przybyły do wesołego miasteczka zaledwie dzień wcześniej i nie miały dotąd okazji przyjrzeć się namiotowi wróżki w świetle dziennym – natychmiast rozpoznały dekorację namiotu i dlatego właśnie stanęły przed nim jak wryte.

Na pierwszy rzut oka szyld nad wejściem przedstawiał oko, takie samo jak na medalionie Madame Lulu i w tatuażu zdobiącym kostkę nogi Hrabiego Olafa. Sieroty Baudelaire spotykały podobne oczy na każdym kroku, począwszy od budynku w kształcie oka, gdy pracowały w tartaku, poprzez oko na torebce Esmeraldy Szpetnej, gdy ukrywały się w szpitalu, aż po wielki rój oczu, który je osaczał w koszmarnych snach. Ale mimo iż nie do końca rozumiały, co te oczy znaczą, miały już tak serdecznie dość patrzenia na nie, że z całą pewnością nie zatrzymałyby się przed następnym. Jednak wiele jest rzeczy na świecie, które okazują się inne niż z pozoru, gdy dłużej na nie popatrzeć, i tak też było teraz: po chwili malunek na szyldzie zaczął zmieniać się przed oczami wpatrzonych dzieci, tak że w końcu nie wyglądał już wcale na obrazek, tylko na emblemat.

Emblemat jest to najczęściej znak firmowy jakiejś organizacji lub instytucji, który przedstawiać może cokolwiek. Niekiedy emblemat ma kształt całkiem prosty, na przykład falkę, wskazującą na instytucję zajmującą się rzekami lub oceanami, albo kwadracik na oznaczenie instytucji zajmującej się geometrią bądź kostkami cukru. Emblematem może być też miniaturowy obrazek czegoś, na przykład pochodni dla oznaczenia instytucji łatwopalnej, albo trójokiej dziewczynki nad wejściem do Gabinetu Osobliwości, która informuje, że w środku można sobie obejrzeć osoby o niecodziennym wyglądzie. Zdarza się też, że emblemat zawiera część nazwy instytucji, na przykład jej pierwsze litery, czyli inicjały. Baudelaire'owie, rzecz jasna, nie reprezentowali żadnej firmy, a jedyny ich kontakt z biznesem polegał na przebraniu się za cyrkowe dziwolągi. Nie należeli też, o ile było im wiadomo, do żadnej organizacji i nigdy nie byli na uroczysku, dopóki Hrabia Olaf nie przywiózł ich tam Ulicą Umiarkowanie Uczęszczaną – a jednak wszyscy troje stanęli jak wryci przed emblematem na namiocie Madame Lulu, ponieważ poznali w nim coś bardzo dla siebie ważnego, zupełnie jakby ktoś, kto malował ten emblemat, wiedział, że oni tu przyjadą, i chciał je tym znakiem zwabić do środka.

– Nie wydaje wam się... – przemówił Klaus, ale nie dokończył pytania, bo zagapił się w emblemat.

– W pierwszej chwili nie... – powiedziała Wioletka – ale im dłużej się przyglądam...

– Wolo – rzekło Słoneczko, po czym już bez słowa wszyscy troje zajrzeli do wnętrza namiotu, a nie widząc tam nikogo, weszli do środka. Gdyby ktoś ich obserwował, zauważyłby, jak niepewnie stąpają, starając się wkroczyć do namiotu jak najciszej. Nikt ich jednak nie obserwował. Nikt nie widział, jak klapa namiotu opada bezszelestnie za Baudelaire'ami, wprawiając całą konstrukcję w leciuteńkie drżenie, nikt więc nie zauważył, że zadrżał również szyld nad wejściem. Nikt nie śledził sierot Baudelaire, które zbliżały się oto do znalezienia odpowiedzi na swoje pytania, a może wręcz do rozwiązania tajemnicy swojego życia. Nikt nie przyjrzał się tak uważnie malowidłu na szyldzie namiotu wróżki, by stwierdzić, że wcale nie przedstawia ono oka, jak to się mogło z pozoru wydawać, tylko emblemat – inicjały organizacji znanej dzieciom jedynie jako WZS.

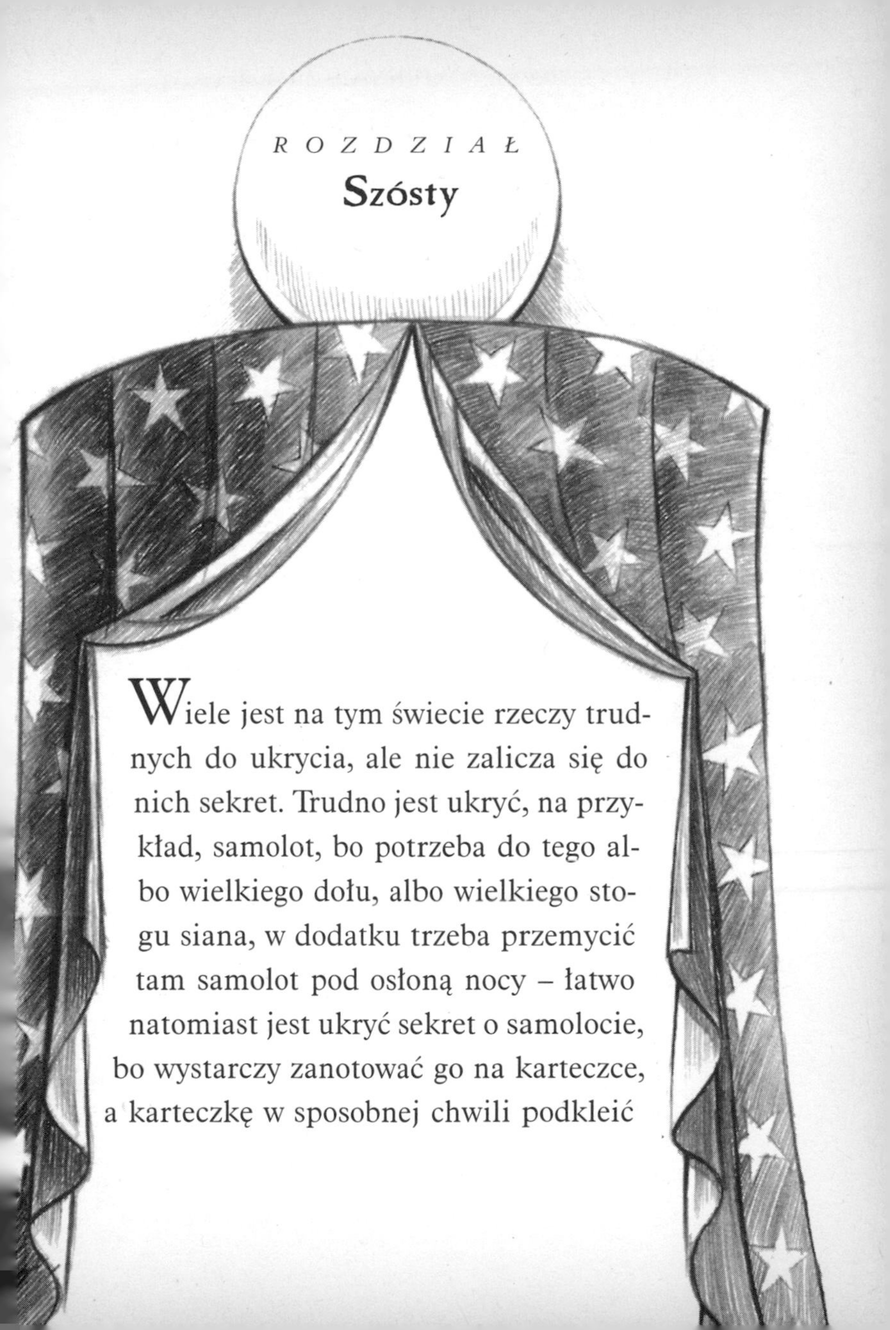

ROZDZIAŁ

Szósty

Wiele jest na tym świecie rzeczy trudnych do ukrycia, ale nie zalicza się do nich sekret. Trudno jest ukryć, na przykład, samolot, bo potrzeba do tego albo wielkiego dołu, albo wielkiego stogu siana, w dodatku trzeba przemycić tam samolot pod osłoną nocy – łatwo natomiast jest ukryć sekret o samolocie, bo wystarczy zanotować go na karteczce, a karteczkę w sposobnej chwili podkleić w domu pod materac. Trudno jest ukryć orkiestrę symfoniczną, bo w tym celu trzeba na ogół wynająć dźwiękoszczelną salę i zgromadzić kilkadziesiąt śpiworów – za to łatwo jest ukryć sekret o orkiestrze symfonicznej, bo wystarczy szepnąć go do ucha zaufanemu przyjacielowi lub krytykowi muzycznemu. Trudno jest też ukryć siebie, bo w tym celu trzeba czasem wpakować się do bagażnika samochodu albo sklecić przebranie, z czego się da – ale łatwo jest ukryć sekret o sobie, bo wystarczy zapisać go w książce i mieć nadzieję, że książka wpadnie we właściwe ręce. Moja kochana siostro, jeżeli to czytasz, wiedz, że żyję i zmierzam na północ, aby cię odnaleźć.

Gdyby sieroty Baudelaire poszukiwały w namiocie Madame Lulu samolotu, wiedziałyby, że powinny rozglądać się, na przykład, za czubkiem skrzydła, sterczącym spod wielkiego czarnego obrusa w lśniące srebrne gwiazdki, okrywającego ustawiony pośrodku stolik. Gdyby poszukiwały orkiestry symfonicznej, wiedziałyby, że powinny nasłuchiwać, czy ktoś nagle nie kaszlnie albo nie potknie się o obój za ciężką kotarą w kącie namiotu. Ale dzieci nie poszukiwały ani środka transportu powietrznego, ani grupy zawodowych muzyków. Poszukiwały sekretów, a namiot był tak ogromny, że nie wiedziały, od którego miejsca zacząć. Czy wiadomość o rodzicach może znajdować się w kredensie przy samym wejściu? Czy informacja o aktach Snicketa może kryć się w wielkim kufrze, który stoi w kącie? I czy możliwe, że uda im się rozszyfrować znaczenie skrótu WZS, gdy zajrzą do wnętrza kryształowej kuli, zajmującej sam środek stolika? Wioletka, Klaus i Słoneczko rozejrzeli się po namiocie, a potem bezradnie spojrzeli po sobie, bo wszyscy doszli do wniosku, że sekrety dotyczące ich życia mogą kryć się dosłownie wszędzie.

– Od czego zaczniemy? – spytała Wioletka.

– Sam nie wiem – odparł Klaus, patrząc wkoło przez zmrużone powieki. – Nie wiem nawet, czego właściwie szukamy.

– No to może poszukamy odpowiedzi metodą Hrabiego Olafa – powiedziała Wioletka. –

Opowiedział nam przecież dokładnie, jak korzystał z porad wróżki.

– Tak, pamiętam – rzekł Klaus. – Najpierw wszedł do namiotu Madame Lulu. To już zrobiliśmy. Potem, jak mówił, pogasił wszystkie światła.

Baudelaire'owie podnieśli wzrok i dopiero teraz zauważyli, że cały sufit namiotu udekorowany jest lampkami w kształcie gwiazdek, takich samych jak gwiazdki na obrusie.

– Pstryk! – powiedziało Słoneczko, wskazując dwa wyłączniki na jednym z masztów namiotu.

– Brawo, Słoneczko! – pochwaliła Wioletka. – Chodź ze mną, Klaus, obejrzymy sobie z bliska te wyłączniki.

Dwoje starszych Baudelaire'ów podeszło dziwnym krokiem do masztu, tam jednak Wioletka zmarszczyła brwi i pokręciła głową.

– Coś niedobrze? – spytał Klaus.

– Szkoda, że nie mam wstążki – odparła Wioletka. – Chętnie związałabym sobie włosy. Trudno mi myśleć, kiedy ciągle spadają na oczy. Ale moja wstążka została gdzieś w Szpitalu Schnitzel...

Nagle Wioletka zamilkła, a Klaus spostrzegł, że sięga do kieszeni spodni Hrabiego Olafa i wyciąga z niej wstążkę taką samą jak ta, którą sama zazwyczaj nosiła.

– Tfuja – powiedziało Słoneczko.

– Tak, to moja – stwierdziła Wioletka, przyjrzawszy się baczniej wstążce. – Widocznie Hrabia Olaf zdjął mi ją przed operacją i schował do kieszeni.

– Całe szczęście, że ją odzyskałaś – odetchnął Klaus i zadrżał z emocji. – Niedobrze mi się robi na myśl, że Olaf rusza nasze rzeczy swoimi brudnymi łapskami. Pomóc ci związać włosy? Jedną ręką będzie trudno, a drugiej nie wyciągaj lepiej z kostiumu, żeby go nie rozedrzeć.

– Spróbuję jedną ręką – odparła Wioletka. – O, już gotowe. Ze związanymi włosami czuję się mniej jak dziwoląg, a bardziej jak Wioletka Baudelaire. A teraz przypatrzymy się temu urządzeniu. Oba wyłączniki podłączone są do kabli sięgających aż do szczytu namiotu. Jeden z pewnością reguluje oświetlenie. Ale po co jest ten drugi?

Baudelaire'owie ponownie spojrzeli w górę i zobaczyli, że pod szczytem namiotu wisi jeszcze coś innego. Między gwiazdami połyskiwało nieduże okrągłe lusterko, zawieszone na sztabce metalu, który podtrzymywał je pod dziwnym kątem. Do sztabki metalu przyczepiona była także długa guma, łącząca go z pokaźnym węzłem kabli i kółek zębatych, który z kolei podłączony był do systemu luster tworzących przerywane koło.

– Co? – spytało Słoneczko.

– Nie mam pojęcia – odparł Klaus. – Z pewnością nie przypomina to niczego, o czym czytałem.

– To jakiś wynalazek – stwierdziła Wioletka, przyglądając się bacznie dziwnej konstrukcji. Zaczęła wskazywać po kolei różne części, ale mówiła przy tym bardziej do siebie niż do rodzeństwa. – Ta guma wygląda mi na pasek klinowy, który transmituje obroty silnika elektrycznego, wspomagając w ten sposób system chłodzący. Ale po co... ach, już rozumiem. Do przesuwania lusterek w koło, aby... tylko jak... chwileczkę...

Klaus, czy widzisz ten mały otworek w górnym rogu namiotu?

– Bez okularów nie widzę – odparł Klaus.

– Tam jest takie małe rozdarcie – pokazała Wioletka. – W którym kierunku świata patrzymy, gdy stoimy twarzą do tego otworka?

– Niech no się zastanowię... – rzekł Klaus. – Wczoraj wieczorem, gdy wysiadaliśmy z samochodu, słońce akurat zachodziło.

– Rajca – powiedziało Słoneczko, komunikując: „Pamiętam, to był ten słynny zachód słońca na uroczysku".

– A samochód stoi tam – Klaus wskazał kierunek, odwracając się i pociągając za sobą siostry. – Więc tam mamy zachód, a zatem otwór w namiocie skierowany jest na wschód.

– Wschód – uśmiechnęła się Wioletka. – Tam, gdzie wstaje słońce.

– Zgadza się – przyznał Klaus. – Ale co to ma do rzeczy?

Wioletka nic na to nie odpowiedziała, tylko wstała i uśmiechnęła się do rodzeństwa, a Klaus i Słoneczko odpowiedzieli jej tym samym. Poznali bowiem ten szczególny uśmiech siostry, pomimo malowanych blizn na jej twarzy. Wioletka zawsze się tak uśmiechała, kiedy udało jej się rozwiązać trudne zadanie, zazwyczaj związane z jakimś wynalazkiem. Tak samo uśmiechnęła się, gdy wszyscy troje siedzieli w więzieniu, a ona wymyśliła, jak wyrwać się na wolność za pomocą dzbanka wody. Tak samo uśmiechnęła się, gdy znalazła w walizce dowody wystarczające do przekonania pana Poe, że Wujcio Monty został zamordowany. I teraz też się tak uśmiechała, patrząc to w górę na dziwne urządzenie, to na dwa wyłączniki przytwierdzone do masztu namiotu.

– Uważajcie! – powiedziała i pstryknęła pierwszy wyłącznik. Kółka zębate zaczęły gwałtownie wirować, a guma wraz z nimi, uruchamiając obłędny krąg lusterek.

– Ale czemu to służy?

– Słuchajcie! – poleciła Wioletka. Z machiny dobywał się niski, buczący szum. – To jest ten szum, o którym mówił Hrabia Olaf. Olaf myślał, że szum dobywa się z kryształowej kuli, a on dobywał się z tego urządzenia.

– Od razu przeczuwałem, że magiczny szum to podejrzana sprawa – powiedział Klaus.

– Blego? – zagadnęło Słoneczko, komunikując: „A błyskawica?".

– Widzisz, jak zawieszone jest to większe, górne lusterko? – wskazała Wioletka. – Wisi pod takim kątem, żeby odbijało wszelkie światło padające do wnętrza namiotu przez górny otworek.

– Kiedy tam nie ma żadnego światła – zauważył Klaus.

– Teraz nie – przyznała Wioletka – bo otwór jest od wschodu, a mamy późne popołudnie. Ale rankiem, kiedy Madame Lulu zajmuje się wróżeniem, słońce akurat wstaje, a jego pierwszy promień pada wprost na to lusterko. Ono zaś przekazuje odbite światło reszcie lusterek, wirujących za sprawą paska klinowego.

– Chwileczkę – przerwał jej Klaus. – Nic nie rozumiem.

– Nie szkodzi – uspokoiła go Wioletka. – Hrabia Olaf też nic nie rozumie. Nie wie, że kiedy wchodzi tutaj rano, Madame Lulu włącza machinę i cały namiot rozbłyskuje ruchomymi światłami. Pamiętasz, jak wykorzystałam zjawisko refrakcji do sporządzenia przyrządu sygnalizacyjnego na Jeziorze Łzawym? Tu chodzi o to samo, chociaż Madame Lulu wmówiła Olafowi, że to magiczne błyskawice.

– Przecież wystarczy, żeby Olaf spojrzał w górę i sam zobaczy, że to żadna magia.

– Po ciemku nie zobaczy – odparła Wioletka, pstrykając drugim wyłącznikiem. Gwiazdy na suficie pogasły. Płótno namiotu było tak grube, że do wnętrza nie docierał nawet najmniejszy blask światła. Baudelaire'owie znaleźli się w kompletnych ciemnościach. Przypomniało im się, jak schodzili szybem windowym w Alei Ciemnej 667, tyle że tam było cicho, a tu panował wszechogarniający szum machiny wróżbiarskiej.

– Boju – szepnęło Słoneczko.

– Tak, to niesamowite – przyznał Klaus. – Nic dziwnego, że Olaf dał się nabrać na magiczny szum.

– A wyobraźcie sobie teraz, że po całym namiocie migają błyskawice – powiedziała Wioletka. – Dzięki takim właśnie sztuczkom ludzie wierzą w czary i wróżby.

– Więc Madame Lulu jest oszustką – podsumował Klaus.

Wioletka znów wcisnęła oba wyłączniki: światła rozbłysły, a machina ucichła i znieruchomiała.

– Jasne, że to oszustka – stwierdziła Wioletka. – Założę się, że ta kula to nie żaden kryształ, tylko zwyczajne szkło. Madame Lulu naciąga Hrabiego Olafa na swoje wróżby, żeby kupował jej w prezencie lwy i nowe turbany.

– Cisno? – spytało Słoneczko, spoglądając w górę na rodzeństwo. Mówiąc „Cisno?", Słoneczko komunikowało coś w sensie: „Ale jeśli to oszustka, to skąd wiedziała, że któreś z naszych rodziców żyje?". Brat i siostra bali się bolesnej odpowiedzi na to pytanie.

– Ona tego nie wiedziała, Słoneczko – odrzekła cicho Wioletka. – Informacje Madame Lulu są równie fałszywe, jak jej magiczne błyskawice.

Słoneczko wydało cichy, żałosny pisk, ledwo słyszalny z czeluści kosmatej brody, i obłapiło siostrę i brata za nogi, drżąc z wielkiego smutku. Nagle to ono odczuło cały ciężar żalu Baudelaire'ów – lecz nie na długo, bo Klausowi niespodziewanie przyszło do głowy coś, co pomogło sierotom wziąć się w garść.

– Chwileczkę – rzekł Klaus. – Nawet jeśli Madame Lulu jest oszustką, jej informacje mogą być prawdziwe. W końcu za każdym razem mówiła Olafowi, gdzie nas szukać, i nie myliła się.

– To prawda – przyznała Wioletka. – Zapomniałam o tym.

– Przecież – ciągnął Klaus, sięgając z trudem do kieszeni – my sami pierwsi nabraliśmy podejrzeń, że któreś z rodziców żyje, po przeczytaniu tego.

Rozwinął kartkę, którą jego siostry rozpoznały jako trzynastą stronę akt Snicketa. Do kartki przypięta była fotografia, przedstawiająca rodziców Baudelaire z pewnym panem, którego dzieci poznały przelotnie w Wiosce Zakrakanych Skrzydlaków, i drugim, nieznanym im panem, a pod zdjęciem widniało zdanie, które Klaus znał już prawie na pamięć, więc odczytał je nawet bez okularów:

– „Na podstawie dowodów opisanych szczegółowo na str. 9 eksperci przychylają się do opinii, że z pożaru przypuszczalnie ocalała jedna osoba, lecz miejsce jej aktualnego pobytu jest nieznane". Madame Lulu też o tym wie.

– Ale skąd? – spytała Wioletka.

– Zaraz sprawdzimy – orzekł Klaus. – Hrabia Olaf opowiadał, że po zjawieniu się magicznej błyskawicy Madame Lulu kazała mu zamknąć oczy dla lepszej koncentracji.

– Tam! – Słoneczko wskazało na stolik z kryształową kulą.

– Nie, Słoneczko – rzekła Wioletka. – Kryształowa kula nie mogła jej tego powiedzieć. Nie jest przecież magiczna, pamiętasz?

– Tam! – powtórzyło z uporem Słoneczko, drepcząc do stolika. Wioletka z Klausem podążyli niezdarnie za siostrzyczką i sami dostrzegli to, co Słoneczko wskazywało. Spod obrusa wystawał maleńki skrawek czegoś białego. Dwoje starszych Baudelaire'ów uklękło we wspólnych spodniach: z bliska stwierdzili, że to białe coś jest rąbkiem gazety.

– Całe szczęście, że poruszasz się bliżej ziemi niż my, Słoneczko – powiedział Klaus. – Nigdy byśmy tego nie zauważyli.

– Ale co to jest? – spytała Wioletka, pociągając za biały rożek wystający spod obrusa.

Klaus ponownie sięgnął do kieszeni, wygrzebał okulary i założył je na nos.

– Teraz i ja czuję się mniej dziwolągiem, a bardziej sobą – oświadczył z uśmiechem, po czym odczytał: – „Miła Księżno! Twój bal maskowy zapowiada się wspaniale, wprost nie mogę się doczekać..." – głos Klausa zamierał powoli. – To tylko jakiś liścik w sprawie balu.

– A co robił pod obrusem? – spytała Wioletka.

– Moim zdaniem, to nic ważnego – odparł Klaus. – Ale dla Lulu był widocznie ważny, skoro go schowała.

– Sprawdźmy, co jeszcze tam chowa – rzekła Wioletka i uniosła skraj obrusa znad ziemi. Wszyscy troje aż wstrzymali oddech ze zdumienia.

Komuś może wydać się dziwne, że Madame Lulu miała pod stolikiem bibliotekę, ale sieroty Baudelaire już wiedziały, że na świecie istnieje niemal tyle samo odmian bibliotek, ile odmian czytelników. Poznały przecież bibliotekę domową u Sędzi Strauss, za którą bardzo tęskniły, i bibliotekę naukową u Wujcia Monty'ego, którego nigdy więcej nie miały zobaczyć. Poznały bibliotekę szkolną w Szkole Powszechnej imienia Prufrocka i bibliotekę Tartaku Szczęsna Woń, która była poważnie niedoinwestowana, co tutaj znaczy: „składała się z trzech książek". Istnieją biblioteki publiczne i biblioteki medyczne, biblioteki starodruków i biblioteki ksiąg zakazanych, biblioteki opracowań i biblioteki katalogów aukcyjnych, a także biblioteki-archiwa, pod którą to wymyślną nazwą kryją się zbiory akt i dokumentów, a nie książek. Biblioteki-archiwa spotyka się na ogół na uniwersytetach, w muzeach i w innych spokojnych miejscach – na przykład pod stołem – gdzie można przyjść i do woli pogrzebać w papierach w poszukiwaniu potrzebnych informacji. Sieroty Baudelaire wytrzeszczyły oczy na stos papierów zgromadzonych pod stolikiem Madame Lulu i zrozumiały, że wróżka trzyma tutaj archiwum, w którym kryć się mogą – jakże istotne dla nich – informacje.

– Spójrzcie, co tu jest – odezwała się po chwili Wioletka. – Artykuły z gazet, czasopisma, listy, akta, fotografie, najróżniejsze dokumenty. Madame Lulu każe ludziom zamykać oczy, a sama szuka odpowiedzi na ich pytania w tych materiałach.

– A szelest kartek zagłusza szum aparatury do produkcji błyskawic – uzupełnił Klaus.

– Zachowuje się, jakby ściągała spod ławki na egzaminie – podsumowała Wioletka.

– Szustka! – zawyrokowało Słoneczko.

– Tak, to oszustka – przyznał Klaus – ale może z tego jej oszustwa osiągniemy jakąś korzyść. Proszę, mam tu artykuł z „Dziennika Punctilio".

– „WIOSKA ZAKRAKANYCH SKRZYDLAKÓW BIERZE UDZIAŁ W NOWYM PROGRAMIE OPIEKUŃCZYM"... – przeczytała nagłówek Wioletka, zerkając bratu przez ramię.

– ...„Rada Starszych – kontynuował Klaus – oznajmiła wczoraj, że zatroszczy się o niesforne sieroty Baudelaire w ramach realizacji programu społecznego władz lokalnych, inspirowanego aforyzmem: »Do wychowania dziecka trzeba całej wioski«".

– Oto w jaki sposób znalazł nas Hrabia Olaf! – zrozumiała Wioletka. – Madame Lulu oszukała go, że to kryształowa kula zdradziła miejsce naszego pobytu, a tak naprawdę wyczytała to zwyczajnie w gazecie!

Klaus wertował dłuższą chwilę plik papierów, aż natrafił na listę ze swoim nazwiskiem.

– Patrzcie – powiedział. – Lista nowych uczniów Szkoły Powszechnej imienia Prufrocka.

Madame Lulu zdobyła ją jakimś cudem i przekazała informację o nas Olafowi.

– My! – oznajmiło Słoneczko, pokazując rodzeństwu fotografię.

Wioletka z Klausem spojrzeli i przyznali siostrzyczce rację. Słoneczko wygrzebało ze sterty papierów małe, niewyraźne zdjęcie, przedstawiające troje Baudelaire'ów siedzących na skraju Doku Damoklesa, tuż po przybyciu pod opiekę Ciotki Józefiny. W tle widać było pana Poe, który uniesioną ręką przyzywał taksówkę. Wioletka na zdjęciu wpatrywała się ponuro w głąb papierowej torebki.

– To te miętówki, które zostawił nam na pożegnanie pan Poe – powiedziała cicho. – Już prawie o nich zapomniałam.

– Ale kto zrobił to zdjęcie? – zaniepokoił się Klaus. – Kto nas tam obserwował?

– Tyłu – powiedziało Słoneczko i obróciło fotografię do góry nogami. Na odwrocie było coś napisane, ale tak niewyraźnie, że z trudem dawało się odcyfrować.

– „Może się przyznać”... – odczytał z trudem Klaus.

– Albo „przydać” – zasugerowała Wioletka. – „Może się przydać”. Podpisane tylko jedną literą, chyba R... a może K? Komu potrzebne było nasze zdjęcie?

– Ciarki mnie przechodzą na myśl, że ktoś zrobił nam zdjęcie, a my o tym nie wiedzieliśmy – powiedział Klaus. – To znaczy, że w każdej chwili możemy być fotografowani.

Baudelaire’owie rozejrzeli się pospiesznie, ale nie dostrzegli żadnego fotografa czającego się w zakamarkach namiotu.

– Tylko spokój – rzekła Wioletka. – Pamiętacie, jak kiedyś rodzice wyszli wieczorem, a my oglądaliśmy film grozy? Potem do rana nie mogliśmy się uspokoić. Wciąż nam się zdawało, że wampiry włamują się do domu, żeby nas porwać.

– Bo może ktoś naprawdę się włamywał, żeby nas porwać – zauważył Klaus, wskazując fotografię. – Czasami coś się dzieje tuż pod nosem, a człowiek nawet o tym nie wie.

– Dydydy – powiedziało Słoneczko, komunikując coś w sensie: „Chodźmy stąd, bo zaczynam się bać".

– Ja też – przyznała Wioletka. – Ale zabierzmy z sobą te dokumenty. Może znajdziemy jakiś zaciszny kącik, żeby je przejrzeć i poszukać informacji, które nas interesują.

– Nie możemy wszystkiego zabrać – zauważył Klaus. – Tego jest mnóstwo. To tak, jakby chcieć przejrzeć wszystkie książki w bibliotece, żeby znaleźć jedną konkretną do czytania.

– Weźmy ile się da do kieszeni – zaproponowała Wioletka.

– Ja już mam pełne kieszenie – odrzekł Klaus. – Noszę w nich stronę trzynastą akt Snicketa i pozostałości notesów Bagiennych. Nie wyrzucę ich przecież, a na nic innego miejsca nie mam. W tych papierach mogą być wszystkie sekrety świata, a my przecież potrzebujemy tylko niektórych.

– No to przejrzyjmy je szybciutko na miejscu – zdecydowała Wioletka – i zabierzmy tylko te, w których figuruje nasze nazwisko.

– Nie jest to najlepsza metoda selekcji danych – zauważył Klaus – ale chwilowo musimy ją przyjąć. Podnieśmy ten obrus wyżej, żeby było lepiej widać.

Wioletka z Klausem spróbowali unieść wyżej skraj obrusa, ale w ich kostiumie było to zadanie dość skomplikowane. Tak jak wspólne jedzenie kukurydzy, tak i unoszenie obrusa we wspólnej koszuli okazało się trudniejsze, niż można by sądzić – obrus jeździł po stole tam i z powrotem, nie zważając na wysiłki pary starszych Baudelaire'ów. Jak zapewne sami wiecie, przesuwanie obrusa po stole tam i z powrotem powoduje, że przedmioty na nim stojące też zaczynają się przesuwać. Tak też było z kryształową kulą Madame Lulu, która przesuwała się coraz bliżej krawędzi stolika.

– Bum – powiedziało Słoneczko.

– Słoneczko ma rację – rzekła Wioletka. – Uważajmy.

– Tak jest – przytaknął Klaus. – Nie chcemy przecież...

Klaus nie skończył jeszcze mówić, czego Baudelaire'owie nie chcą, gdy z głośnym *bum*! i *brzdęk*! kryształowa kula dokończyła za niego zdanie. Jedną z najgorszych rzeczy w życiu jest to, że nasze życzenia mają znikomy wpływ na rzeczywistość. Człowiek może chcieć być pisarzem, który pracuje sobie spokojnie w domowym zaciszu, a tu nagle zdarzy się coś, co każe mu pisać głównie po cudzych domach, i to często bez wiedzy i zgody właścicieli. Człowiek może chcieć poślubić ukochaną osobę, a tu nagle okaże się, że już nigdy w życiu tej osoby nie zobaczy. Człowiek chce się dowiedzieć czegoś ważnego o swoich rodzicach, a tu nagle coś na dłuższy czas zablokuje wszelkie poszukiwania. Człowiek może też w pewnym momencie życia życzyć sobie, żeby kryształowa kula nie spadła ze stołu i nie rozprysła się na tysiąc kawałków, a jeśli już musi spaść, to chociaż po cichu, żeby hałas nikogo nie zwabił. Ale smutna prawda jest taka, że prawda jest smutna, a w życiu nie liczy się, co kto chce. Każdego, choćby nie wiem czego chciał, spotkać może seria niefortunnych zdarzeń, więc chociaż sieroty Baudelaire nie chciały, żeby klapa namiotu nagle się odchyliła i żeby do środka weszła Madame Lulu, to i tak tego wieczora w wesołym miasteczku przydarzyło im się wszystko, czego nie chciały.

R O Z D Z I A Ł

Siódmy

– Co robią tutaj, proszę? – spytała zagniewana Madame Lulu. Podeszła szybko do dzieci, błyskając własnymi oczami równie mocno, jak okiem na wisiorku. – Co porabia dziwolągi w mój namiot, proszę, i co porabia dziwolągi pod stół, proszę, i odpowiedzieć mi natychmiast, proszę, bo bardzo pożałują, proszę, dziękuję!

Sieroty Baudelaire podniosły wzrok na fałszywą wróżkę – i stało się coś dziwnego. Zamiast zadrżeć ze strachu albo rozpłakać się z przerażenia, albo skulić się w gromadkę na krzyki Lulu,

cała trójka wyprostowała się śmiało, co tutaj znaczy: „wcale się nie przestraszyli". Odkąd okazało się, że Madame Lulu posługuje się mechanizmem na suficie i archiwami pod stolikiem, aby pozować na tajemniczą czarodziejkę, wszystko, czym dotychczas budziła lęk, nagle zniknęło i rzekoma wróżka pozostała zwyczajną kobietą z dziwnym akcentem i wybuchowym temperamentem, posiadającą istotne dla Baudelaire'ów informacje. Madame Lulu pieklíła się na dzieci, a Wioletka, Klaus i Słoneczko patrzyli na nią bez najmniejszego cienia strachu. Madame Lulu wrzeszczała i wrzeszczała, a sieroty Baudelaire były na nią tak samo wściekłe, jak ona na nie.

– Jak śmieją, proszę, wejść w namiot bez pozwolenie Madame Lulu! – krzyczała Madame Lulu. – Ja szef Karnawał Kaligari, proszę, mnie słuchać proszę dziwolągi w każdą chwilę życia! Ja, proszę, nie widziałam jeszcze dziwolągi takie niewdzięczne do Madame Lulu! Wy teraz w wielki kłopot, proszę!

Tak wrzeszcząc, dotarła do stolika i ujrzała rozbite szkło, które błyszczało na podłodze.

– Wy rozbijacze kuli kryształowej! – zagrzmiała gniewnie, celując brudnym palcem w sieroty Baudelaire. – Wam wstyd, dziwolągi! Kula kryształowa rzecz drogocenna, proszę, i właściwości ma ona magiczne!

– Buja! – krzyknęło Słoneczko.

– Kryształowa kula wcale nie była magiczna! – przetłumaczyła ze złością Wioletka. – To było zwyczajne szkło! A pani wcale nie jest wróżką! Rozszyfrowaliśmy aparaturę do produkcji błyskawic i odkryliśmy pani archiwum!

– To wszystko jedna wielka lipa – podsumował Klaus, ogarniając gestem cały namiot. – To pani powinna się wstydzić, a nie my!

– Pro... – zaczęła Madame Lulu, ale szybko zamknęła usta. Patrzyła w dół na Baudelaire'ów, a jej oczy robiły się coraz większe. Nagle usiadła na krześle, oparła głowę obok szczątków kryształowej kuli i rozpłakała się. – Bardzo się wstydzę – szlochała głosem całkiem pozbawionym akcentu.

Sięgnęła do turbanu na głowie. Zerwała go jednym ruchem, a na jej zalaną łzami twarz opadły długie blond włosy. – Okropnie się wstydzę – łkała przez łzy, aż ramiona jej drżały od spazmów.

Baudelaire'owie spojrzeli na siebie nawzajem, a potem na roztrzęsioną kobietę. Przyzwoitemu człowiekowi trudno jest gniewać się na kogoś, kto płacze – dlatego zwykle opłaca się płakać, gdy krzyczy na nas przyzwoity człowiek. Patrząc, jak Madame Lulu płacze i płacze, przerywając tylko na krótką chwilę dla otarcia oczu rękawem, sieroty Baudelaire siłą rzeczy też się trochę zasmuciły, chociaż złość jeszcze ich nie opuściła.

– Madame Lulu – przemówiła Wioletka surowo, chociaż nie tak surowo, jak chciała. – Dlaczego...

– Och! – załkała na dźwięk swego imienia Madame Lulu. – Nie nazywaj mnie tym imieniem!

Szarpnęła rzemyk, na którym nosiła zawieszone oko. Rzemyk pękł, robiąc *pyk*!, a Lulu cisnęła wisior na ziemię między okruchy szkła i szlochała dalej.

– Nazywam się Oliwia – wykrztusiła, uspokoiwszy się nieco. – Nie jestem ani żadną Madame Lulu, ani wróżką.

– Więc dlaczego udaje pani jedną i drugą? – spytał Klaus. – Dlaczego chodzi pani w przebraniu? Dlaczego pomaga pani Hrabiemu Olafowi?

– Ja wszystkim chcę pomagać – odparła smutno Oliwia. – Moje motto życiowe brzmi: „Dawać ludziom to, czego chcą". Dlatego jestem tutaj, w wesołym miasteczku. Udaję wróżkę, żeby mówić ludziom to, co chcą usłyszeć. Kiedy przychodzi do mnie Hrabia Olaf, albo ktoś z jego ludzi, i pyta, gdzie są Baudelaire'owie, ja im to mówię. Gdy czasem zajrzy tutaj Jacques Snicket, albo inny wolontariusz, i spyta, czy jego brat żyje – też im mówię.

Wypowiedź ta nasunęła sierotom Baudelaire tak wiele pytań, że nie wiedziały wprost, od którego zacząć.

– Ale skąd zna pani odpowiedzi? – spytała Wioletka, wskazując plik papierów pod stolikiem. – Skąd ma pani te wszystkie informacje?

– Głównie z bibliotek – odparła Oliwia, ocierając oczy. – Kto chce uchodzić za wróżkę, musi umieć odpowiedzieć na każde pytanie, a odpowiedzi na wszystkie prawie pytania są już gdzieś zapisane. Najwyżej nie od razu można je znaleźć. Dość długo gromadziłam swoje archiwum i wciąż nie mam wszystkich odpowiedzi, których poszukuję. Dlatego zdarza się, że ktoś zadaje mi pytanie, na które nie znam odpowiedzi, i wtedy zmyślam.

– A kiedy powiedziała pani Hrabiemu Olafowi, że jedno z naszych rodziców żyje – wtrącił się Klaus – to zmyśliła pani odpowiedź, czy znała ją?

Oliwia ściągnęła brwi.

– Hrabia Olaf nigdy nie pytał mnie o rodziców żadnych cyrkowych dziwo... Chwileczkę! Wasze głosy jakoś się zmieniły. Beverly, masz wstążkę na włosach, a twoja druga głowa nosi okulary. Co tu się dzieje?

Baudelaire'owie spojrzeli po sobie skonsternowani. Tak ich zaciekawiło to, co mówiła Oliwia, że całkiem zapomnieli o swoim przebraniu

– ale może nie było już ono konieczne? Dzieciom bardzo zależało na uzyskaniu od Oliwii uczciwej odpowiedzi, a czuły, że tym bardziej mogą liczyć na uczciwość Oliwii, im bardziej same będą uczciwe. Wstały więc bez słowa i zrzuciły przebranie. Wioletka z Klausem rozpięli wspólną koszulę, z ulgą prostując tak długo uwięzione ręce, i wyszli ze wspólnych portek obłamowanych futrem na mankietach. Słoneczko tymczasem uwolniło się ze zwojów brody. Po chwili cała trójka stała w namiocie w swoich zwykłych ubraniach – chociaż nie do końca, bo Wioletka wciąż miała na sobie szpitalną koszulę z Oddziału Chirurgicznego – a ich kostiumy leżały na podłodze w bezładnej kupie. Starsi Baudelaire'owie potrząsali z wigorem głowami, co tu oznacza: „pozbywali się talku z włosów", jednocześnie ścierając z policzków fałszywe blizny.

– Nie nazywam się Beverly – powiedziała Wioletka – a to nie jest moja druga głowa, tylko mój brat. To zaś nie jest żaden młody wilkołak Czabo, tylko...

– Wiem, kto to jest – przerwała jej zdumiona Oliwia. – Poznaję was wszystkich. Wy jesteście Baudelaire'owie!

– Tak – przyznał Klaus i uśmiechnął się, a siostry wraz z nim. Zdawało im się, że ze sto lat minęło, odkąd ktokolwiek zwrócił się do nich po nazwisku, więc gdy Oliwia ich rozpoznała, natychmiast znów poczuli się sobą, a nie cyrkowymi dziwolągami albo innymi przebierańcami. – Tak – powtórzył Klaus. – To my, Baudelaire'owie, co prawda chwilowo tylko troje. Ale nie mamy pewności co do czwartego członka rodziny Baudelaire'ów. Podejrzewamy, że jedno z naszych rodziców nadal żyje.

– Nie macie pewności? – zdziwiła się Oliwia. – A w aktach Snicketa nie ma na to odpowiedzi?

– Dysponujemy zaledwie trzynastą stroną akt Snicketa – odparł Klaus, po raz drugi wydobywając z kieszeni stronę trzynastą. – Usiłujemy dotrzeć do reszty, zanim uczyni to Olaf. Jednak z ostatniej strony akt wynika, że ktoś mógł ocaleć z pożaru. Może pani wie, czy to prawda?

– Pojęcia nie mam – wyznała Oliwia. – Sama poszukuję akt Snicketa. Ile razy wiatr dmuchnie koło mnie jakąś kartkę, lecę sprawdzić, czy to przypadkiem nie fragment tych akt.

– Ale przecież mówiła pani Hrabiemu Olafowi, że jedno z naszych rodziców żyje – przypomniała Wioletka. – I że ukrywa się w Górach Grozy.

– To tylko hipoteza – odrzekła Oliwia. – O ile jednak któreś z waszych rodziców żyje, zapewne ukrywa się właśnie tam. Gdzieś w Górach Grozy mieści się ostatnia ocalała kwatera WZS – ale to sami na pewno wiecie.

– Wcale nie wiemy – zaprotestował Klaus. – Nie wiemy nawet, co oznacza WZS!

– Więc skąd umiecie się tak świetnie przebierać? – zdumiała się Oliwia. – Zastosowaliście wszystkie trzy reguły kamuflażu WZS: wielce zwodniczą stylizację twarzy, wielce zwodniczą scenografię postaci i wielce zwodniczą sonografię głosów. Prawdę mówiąc, kiedy wam się teraz lepiej przyglądam, widzę, że użyliście rekwizytów podobnych do tych z mojego podręcznego zestawu kostiumów.

Oliwia wstała i podeszła do stojącego w kącie kufra. Otworzyła go wyjętym z kieszeni kluczem i zaczęła przerzucać zawartość. Sieroty Baudelaire patrzyły, jak wyciąga jedną rzecz za drugą – wszystkie znajome.

Najpierw wyciągnęła perukę, bardzo podobną do tej, której używał Hrabia Olaf, przebierając się za kobietę imieniem Shirley. Potem drewnianą nogę, którą posłużył się Olaf, udając kapitana marynarki. Następnie oczom dzieci ukazały się dwa rondle, w które bębnił łysy wspólnik Olafa, gdy mieszkali w Paltryville, oraz kask motocyklowy, identyczny z tym, w którym paradowała Esmeralda Szpetna przebrana za oficera policji. W końcu Oliwia wydobyła z kufra koszulę z wymyślnymi falbankami, dokładnie taką samą, jak koszula leżąca teraz u stóp Baudelaire'ów.

– Widzicie? – spytała. – Taka sama koszula jak wasza.

– Ale nasza pochodzi z bagażnika Hrabiego Olafa – powiedziała Wioletka.

– Nic dziwnego – odparła Oliwia. – Wszyscy wolontariusze mają takie same zestawy kostiumów. Na całym świecie ludzie posługują się tymi kostiumami, aby doprowadzić Hrabiego Olafa przed trybunał sprawiedliwości.

– Co? – spytało Słoneczko.

– Ja też nic nie rozumiem – przyznał Klaus. – Nie rozumiemy z tego nic, pani Oliwio. Co to jest WZS? Raz się wydaje, że należą do niego dobrzy ludzie, a raz, że źli.

– To wszystko nie jest takie proste – rzekła smutno Oliwia. Wyjęła z kufra maskę chirurgiczną i obracała ją chwilę w ręku. – Rekwizyty z tego zestawu kostiumów to po prostu rzeczy, moi Baudelaire'owie. A każdej rzeczy można użyć, aby komuś dopomóc albo zaszkodzić. Wiele osób robi jedno i drugie. Czasami trudno się zdecydować, który kostium włożyć i co robić, kiedy się już któryś włożyło.

– Nie rozumiem – powiedziała Wioletka.

– Niektórzy ludzie są jak te lwy, które przywiózł do nas Olaf – odparła Oliwia. – Zaczynają od dobrego, ale nim się obejrzą, już są czymś całkiem przeciwnym. Te lwy też kiedyś były szlachetnymi istotami. Mój znajomy nauczył je wyczuwać dym, co było dla nas bardzo pomocne. Ale teraz Hrabia Olaf nie daje im jeść i chłoszcze je pejczem, a jutro po południu dostaną pewnie na pożarcie któregoś z naszych dziwolągów. Świat to jedno wielkie pandemonium.

– Pande? – zainteresowało się Słoneczko.

– Jedno wielkie pomieszanie – wyjaśniła Oliwia. – Podobno dawno temu życie na świecie było proste i spokojne, ale to chyba legenda. W łonie WZS wybuchła schizma – zajadła walka między członkami organizacji – a ja od tego czasu zupełnie nie wiem, co robić. Nigdy nie przypuszczałam, że będę pomagać łotrom, a jednak tak się stało. Czy wam nigdy się nie zdarzyło robić rzeczy, o które wcześniej byście się nie podejrzewali?

– Chyba tak – przyznał Klaus, odwracając się do sióstr. – Pamiętacie, jak ukradliśmy Halowi klucze do Archiwum? Nigdy nie myślałem, że zostanę złodziejem.

– Flin – powiedziało Słoneczko, komunikując coś w sensie: „A ja nigdy nie przypuszczałam, że jestem zdolna do agresji, a jednak wdałam się w pojedynek na miecze z doktor Orwell".

– Tak, nam też zdarzyło się robić rzeczy, o które wcześniej się nie podejrzewaliśmy – stwierdziła Wioletka – ale za każdym razem mieliśmy ku temu ważne powody.

– Każdemu się zdaje, że ma ważne powody – odrzekła Oliwia. – Hrabia Olaf uważa, że ma ważne powody, aby was zgładzić, bo chce zdobyć wasz majątek. Esmeralda Szpetna uważa, że ma ważne powody, aby przystać do szajki Olafa, bo jest jego narzeczoną. A ja, zdradzając Hrabiemu Olafowi, gdzie was szukać, też miałam swój ważny powód – wyznaję przecież motto: „Dawać ludziom to, czego chcą".

– Wątpi – powiedziało Słoneczko.

– Słoneczko wątpi, czy jest to rzeczywiście ważny powód – przetłumaczyła Wioletka. – A ja muszę dodać, że zgadzam się ze Słoneczkiem. Skrzywdziła pani wiele osób, pani Oliwio, bardzo wiele, tylko po to, aby dać Hrabiemu Olafowi to, czego chciał.

Oliwia kiwnęła głową i znów łzy napłynęły jej do oczu.

– Wiem – przyznała żałośnie. – Bardzo mi wstyd. Ale ja nie umiem inaczej.

– To niech pani przestanie pomagać Olafowi, a pomoże nam – doradził jej Klaus. – Niech nam pani powie wszystko, co wie o WZS. Niech nas pani zabierze w Góry Grozy, żebyśmy mogli sprawdzić, czy któreś z naszych rodziców rzeczywiście żyje.

– Nie wiem, czy mogę – powiedziała Oliwia. – Od bardzo dawna postępuję źle, ale może potrafię się zmienić. – Wstała i rozejrzała się smutno po namiocie. – Kiedyś byłam szlachetna. Czy uważacie, że mogę znów stać się szlachetna?

– Nie wiadomo – odparł Klaus. – Ale spróbujmy się o tym przekonać. Wyjedźmy stąd wszyscy razem, teraz, zaraz, i udajmy się na północ.

– Ale czym? – spytała Oliwia. – Nie mamy ani samochodu, ani bagażówki, ani czwórki koni, ani potężnej wyrzutni, ani żadnej innej rzeczy, która pomogłaby nam się wydostać z tego uroczyska.

Wioletka poprawiła wstążkę na włosach i zamyśliła się, patrząc w sufit.

– Pani Oliwio – rzekła w końcu. – Czy wagoniki kolejki górskiej nadal funkcjonują?

– Wagoniki? – powtórzyła Oliwia. – W pewnym sensie tak. Kółka się kręcą, ale każdy wagonik ma mały silnik i obawiam się, że wszystkie silniki pordzewiały.

– Sądzę, że umiałabym zregenerować silnik za pomocą aparatury do produkcji błyskawic – stwierdziła Wioletka. – Przecież ten gumowy element przypomina...

– Pasek klinowy! – dokończyła za nią Oliwia. – Świetny pomysł, Wioletko.

– Podkradnę się wieczorem do kolejki górskiej i przystąpię do pracy – postanowiła Wioletka. – Wyjedziemy rano, zanim ktokolwiek wstanie.

– Nie, dzisiaj tego nie rób – rzekła Oliwia. – Hrabia Olaf i jego ludzie stale włóczą się po nocy. Najlepiej będzie wyjechać po południu, gdy wszyscy znajdą się w Gabinecie Osobliwości. A remont możesz przeprowadzić wcześnie z rana, kiedy Olaf przyjdzie tu do mnie radzić się kryształowej kuli w waszej sprawie.

– No i co pani zrobi? – zaniepokoił się Klaus.

– Mam zapasową kulę – odparła Oliwia. – Już niejedna się stłukła.

– Nie o to pytam. Chyba nie zdradzi pani Hrabiemu Olafowi, że znajdujemy się na terenie wesołego miasteczka, prawda?

Oliwia chwilę się zawahała i pokręciła głową.

– Nie – odparła, ale nie zabrzmiało to zbyt przekonująco.

– Obieca? – spytało Słoneczko.

Oliwia spojrzała z góry na najmłodszą sierotę Baudelaire i przed dłuższą chwilę milczała.

– Tak – szepnęła w końcu ledwo słyszalnie. – Obiecam, jeśli wy obiecacie zabrać mnie z sobą na poszukiwanie WZS.

– Obiecujemy – rzekła Wioletka, a Klaus i Słoneczko potwierdzili obietnicę skinieniem głów. – Zacznijmy jednak od najważniejszego: co oznacza WZS?

– Madame Lulu! – zabrzmiał zza namiotu skrzekliwy głos.

Baudelaire'owie spojrzeli po sobie z niesmakiem, słysząc, jak Hrabia Olaf wykrzykuje fałszywe imię ich nowej znajomej. – Madame Lulu! Gdzie jesteś?

– W namiot wróżki, mój Olaf! – odkrzyknęła Oliwia, przybierając sztuczny akcent z taką łatwością, z jaką Baudelaire'owie wślizgnęli się w falbaniastą koszulę. – Ale nie wchodzi tutaj, proszę! Ja sekretny rytuał odbywam z kryształową kulą mą!

– No to się pospiesz! – burknął zrzędliwie Olaf. – Dół już gotowy, a mnie się chce pić. Chodź i nalej nam wina.

– Jedna chwilka, mój Olaf! – odkrzyknęła Oliwia, łapiąc w pośpiechu rozplątany turban. – Może chwilowo weźmie prysznic, proszę? Na pewno spocił od kopania dół, a jak umyty, upijamy razem wino.

– Nie wygłupiaj się – odparł Olaf. – Brałem prysznic dziesięć dni temu. Idę, poperfumuję się trochę wodą kolońską i poczekam na ciebie w barakowozie.

– Tak, mój Olaf – odkrzyknęła Oliwia, po czym, motając turban na głowie, zwróciła się szeptem do dzieci: – Skończmy już naszą rozmowę. Koledzy zaczną was szukać. Jutro, gdy stąd wyjedziemy, wszystko opowiem wam po drodze.

– A nie moglibyśmy dowiedzieć się teraz chociaż paru rzeczy? – spytał Klaus. Jeszcze nigdy Baudelaire'owie nie byli tak bliscy uzyskania odpowiedzi na dręczące ich pytania, więc dalsze odkładanie rozmowy wydawało im się wprost nie do zniesienia.

– Nie, nie – odparła zdecydowanie Oliwia. – Lepiej pomogę wam przebrać się z powrotem, żeby was nikt tu nie przyłapał.

Sieroty Baudelaire spojrzały po sobie z rezygnacją.

– Chyba ma pani rację – przyznała po chwili Wioletka. – Koledzy zaczną nas szukać.

– Prufko – powiedziało Słoneczko, komunikując: „I ja tak sądzę", po czym przystąpiło do owijania się brodą.

Wioletka z Klausem naciągnęli lamowane futrem spodnie i dopięli falbaniastą koszulę, a Oliwia zawiesiła sobie z powrotem naszyjnik z okiem, żeby bardziej upodobnić się do Madame Lulu.

– Blizny! – przypomniał sobie Klaus, patrząc na buzię Wioletki. – Pościeraliśmy blizny!

– I włosy musimy sobie na nowo upudrować – dodała Wioletka.

– Posiadam kredka do makijaż, proszę – rzekła Oliwia, sięgając do kufra. – Talk takoż.

– Do nas nie musi pani mówić z tym akcentem – powiedziała Wioletka, odwiązując wstążkę z włosów.

– Ćwiczyć wskazane, proszę – odparła Oliwia. – Ja myśleć muszę jak Madame Lulu, inaczej, proszę, ja zapominam o to przebieranie.

– Ale obietnic pani nie zapomni, prawda? – upewnił się Klaus.

– Obietnic? – powtórzyła Madame Lulu.

– Obiecała pani, że nie powie o nas Hrabiemu Olafowi – przypomniała Wioletka. – A my obiecaliśmy, że zabierzemy panią w Góry Grozy.

– Oczywista, Beverly – odparła Madame Lulu. – Ja obietnicy utrzymywam dla dziwolągi.

– Nie nazywam się Beverly – powiedziała Wioletka. – I nie jestem dziwolągiem.

Madame Lulu uśmiechnęła się i nachyliła, żeby wymalować sztuczną bliznę na policzku najstarszej z Baudelaire'ów.

– Ale teraz czas przebierany, proszę – powiedziała. – Niech nie zapomną swoje przebierane głosy, bo poznawają ich.

– My nie zapomnimy o przebraniach – obiecał Klaus, chowając okulary do kieszeni – a pani nie zapomni o obietnicach, dobrze?

– Oczywista, proszę – rzekła Madame Lulu, wyprowadzając dzieci z namiotu wróżki. – Nie martwią nic a nic, proszę.

Sieroty Baudelaire wyszły z namiotu za Madame Lulu i stanęły w powodzi niebieskawego blasku słynnych zachodów słońca na uroczysku. W blasku tym każde z nich wyglądało trochę niesamowicie, jakby na cyrkowe przebrania narzucili dodatkowe kostiumy – niebieskie. Upudrowane włosy Wioletki przybrały upiorny, bladawy odcień, sztuczne blizny na twarzy Klausa pociemniały i wyglądały przez to bardziej dramatycznie, a Słoneczko upodobniło się do małej niebieskiej chmurki upstrzonej paroma cętkami światła w tych miejscach, gdzie zęby przebranego wilkołaka odbijały ostatnie w tym dniu promienie słońca. Za to Madame Lulu nareszcie wyglądała jak prawdziwa wróżka: niepokojący blask wieczoru odbity w klejnocie na turbanie i ozdobnej tkaninie szaty nadał jej nieomal magiczny wygląd.

– Dobranoc, dziwolągi me – powiedziała do Baudelaire'ów, oni zaś, patrząc na jej tajemniczą postać, zadawali sobie w duchu pytanie, czy to możliwe, że Oliwia zmieniła motto i stanie się na nowo osobą szlachetną. „Ja obietnicy utrzymywam dla dziwolągi" – zadeklarowała Madame Lulu, ale sieroty Baudelaire wcale nie miały pewności, czy mówiła to szczerze, czy też tylko po to, żeby im sprawić przyjemność.

ROZDZIAŁ
Ósmy

Zanim Baudelaire'owie dostali się z powrotem do barakowozu dziwolągów, Hugo, Colette i Kevin już zaczęli się o nich niepokoić. Colette z Kevinem skończyli niedawno partię domina, a Hugo ugotował wielki garnek tom ka gai – przepysznej zupy, którą na co dzień jada się w Tajlandii. Sieroty Baudelaire zasiadły do kolacji, ale nie miały jakoś apetytu na wywar z kurczęcia, jarzyn, specjalnych grzybków, świeżego imbiru, mleka kokosowego i wodnych kasztanów. Bardziej zajęte były trawieniem informacji – co tutaj znaczy: „myśleniem o tym wszystkim, co usłyszały od Madame Lulu".

Wioletka przełknęła łyżkę gorącej zupy, lecz pochłonięta myślami o archiwum Madame Lulu ledwo zauważyła nadzwyczajny, słodkawy smak tom ka gai. Klaus żuł wodnego kasztana, lecz tak go absorbował temat kwatery WZS w Górach Grozy, że nie docenił należycie wykwintnej kruchości specjału. A Słoneczko, siorbiąc zupę z przechylonej miseczki, tak się zamyśliło o podręcznym zestawie do charakteryzacji, że nie spostrzegło nawet, jak leje sobie po kosmatej brodzie. Chociaż wszyscy troje zjedli zupę do dna, natarczywa myśl o tym, co też jeszcze powie im Lulu o tajemniczym WZS, sprawiła, że wstali od stołu głodniejsi niż przed jedzeniem.

– Cóż to wszyscy tak dzisiaj milczą? – zagadnęła Colette, wyzierając na towarzystwo spod ekwilibrystycznego ramienia. – Hugo i Kevin prawie się nie odzywają, Czabo nawet nie warknie przez całą kolację, głowy też nic nie mają do powiedzenia – co się dzieje?

– Jakoś nie jesteśmy w nastroju do rozmowy – przyznała Wioletka, pamiętając, że powinna przemawiać jak najgrubszym basem. – Mamy sporo do myślenia.

– No właśnie – wpadł jej w słowo Hugo. – Mnie nadal nie zachwyca perspektywa pożarcia przez lwy.

– Mnie też nie – wyznała Colette. – Ale publiczność była zachwycona informacją o nowej atrakcji. Ludzie uwielbiają sceny gwałtu.

– I pokazy niechlujnego jedzenia – dodał Hugo, ocierając usta serwetką. – To doprawdy ciekawy dylemat.

– Wcale nie uważam, że to ciekawy dylemat – odezwał się Klaus, mrużąc oczy, żeby lepiej widzieć towarzystwo. – Uważam, że to ponury dylemat. Jutro po południu ktoś skoczy w dół na pewną śmierć.

Klaus nie dodał, że Baudelaire'owie planują być w tym czasie daleko od Karnawału Kaligariego, w drodze ku Górom Grozy, dokąd zmierzać będą pojazdem skonstruowanym przez Wioletkę nazajutrz rano.

– Nie widzę, co możemy na to poradzić – westchnął Kevin. – Z jednej strony, osobiście wolałbym nadal występować w Gabinecie Osobliwości niż dać się pożreć lwom. Ale z drugiej strony – a z powodu oburęczności obie strony są w moim przypadku równie mocne – motto Madame Lulu zaleca „dawać ludziom to, czego chcą", a ludzie najwyraźniej chcą, żeby nasz Karnawał Kaligariego był krwiożerczy.

– To motto jest przerażające – stwierdziła Wioletka, a Słoneczko warknęło na potwierdzenie jej słów. – Na pewno można robić w życiu coś lepszego niż upokarzać się i wystawiać na niebezpieczeństwo tylko po to, żeby zadowolić kilka całkiem obcych osób.

– A co na przykład? – spytała Colette.

Baudelaire'owie spojrzeli po sobie. Bali się zdradzić projekt ucieczki współpracownikom, aby ktoś nie doniósł o nim Hrabiemu Olafowi i nie pokrzyżował im planów. Z drugiej jednak strony, nie umieli dbać tylko o własny interes, wiedząc, do jakich strasznych rzeczy może dojść jedynie dlatego, że Hugo, Colette i Kevin czują się w obowiązku pozostać dziwolągami i żyć zgodnie z mottem Madame Lulu.

– Nigdy nie wiadomo, kiedy trafi się człowiekowi nowa praca – rzekła w końcu Wioletka. – Może się trafić w każdej chwili.

– Naprawdę tak uważasz? – spytał z nadzieją Hugo.

– Oczywiście – zapewnił go Klaus. – Nigdy nie wiadomo, kiedy okazja zapuka do drzwi.

Kevin podniósł pełen nadziei wzrok znad zupy.

– A którą ręką zapuka?

– Okazja puka każdą ręką, Kevinie – odparł Klaus.

W tej samej chwili ktoś zapukał do drzwi.

– Otwierać, dziwolągi! – rozległ się niecierpliwy głos, na dźwięk którego dzieci aż podskoczyły.

Wiecie, rzecz jasna, że Klaus, używając zwrotu „okazja zapuka do drzwi", miał na myśli to, że jego koledzy z czasem znajdą, być może, lepszą pracę niż skakanie do dołu pełnego wygłodzonych lwów po to, aby dać kilku osobom to, czego chcą. Klaus nie miał na myśli tego, że narzeczona niepoprawnego łotra zapuka do drzwi i oznajmi mieszkańcom barakowozu coś jeszcze gorszego. Niestety, była to Esmeralda Szpetna. Dziobiąc w drzwi długimi pazurami, krzyczała:

– Otwierać! Chcę z wami porozmawiać!

– Chwileczkę, pani Szpetna! – odkrzyknął Hugo, drepcząc do drzwi. – Zachowajmy się kulturalnie – pouczył kolegów. – Rzadko się zdarza, że normalna osoba chce z nami porozmawiać. Wykorzystajmy tę okazję jak najlepiej.

– Postaram się – obiecała Colette. – Obiecuję nie robić żadnych wygibasów.

– A ja będę się posługiwał tylko prawą ręką – zadeklarował Kevin. – A może lepiej tylko lewą?

– Dobry pomysł – pochwalił Hugo i otworzył drzwi.

Esmeralda Szpetna stała oparta o framugę z szatańskim uśmieszkiem na twarzy.

– Nazywam się Esmeralda Gigi Genowefa Szpetna – oznajmiła. Często się tak przedstawiała, nawet osobom, które doskonale wiedziały, kim jest. Weszła głębiej do barakowozu dziwolągów i sieroty Baudelaire zauważyły, że specjalnie się wystroiła na tę okazję, co tutaj znaczy: „włożyła strój, którym chciała im zaimponować". Miała na sobie długą białą suknię, tak długą, że jej skraj ciągnął się po ziemi, tworząc krąg wokół Esmeraldy Szpetnej, tak że wyglądała, jakby stała w kałuży mleka. Na gorsie sukni błyszczącą nitką wyhaftowane było hasło JA KOCHAM DZIWOLĄGI, z tym, że słowo „kocham" zastąpiono wielkim sercem – symbolem używanym niekiedy przez osoby nie odróżniające słów pisanych od obrazka. Do jednego ramienia Esmeralda Szpetna miała przytroczony duży brązowy worek, jej głowę zaś zdobił dziwaczny kapelusik ze sterczącą do góry czarną antenką podtrzymującą sporą podobiznę twarzy z bardzo złą miną. Sieroty Baudelaire domyśliły się, że musi to być ostatni krzyk mody, gdyż inaczej Esmeralda

Szpetna na pewno by się tak nie ubrała. Mimo wszystko nie mieściło im się w głowie, że taki strój może budzić podziw na całym świecie.

– Co za śliczny strój! – pochwalił Hugo.

– Dziękuję – odburknęła Esmeralda. Palcem z długim pazurem wskazała Colette, na co ekwilibrystka wstała i ustąpiła jej miejsca. – Jak możecie przeczytać na mojej sukni, kocham dziwolągi.

– Naprawdę? – ucieszył się Kevin. – To bardzo miło z pani strony.

– Wiem o tym – przytaknęła Esmeralda. – Specjalnie kazałam sobie uszyć tę suknię, żeby pokazać wszystkim, jak kocham dziwolągi. Spójrzcie: dzięki poduszce na ramieniu upodobniłam się do garbusa, a dzięki kapeluszowi wyglądam, jakbym miała dwie głowy, całkiem jak Beverly-Eliot.

– To fakt, że wygląda pani bardzo dziwacznie – przyznała Colette.

Esmeralda skrzywiła się, jakby nie to spodziewała się usłyszeć.

– Jasne, że tak naprawdę nie jestem dziwolągiem – powiedziała. – Jestem normalną osobą. Chciałam wam tylko pokazać, jak bardzo was kocham. A teraz proszę podać mi karton maślanki. Maślanka jest w modzie.

– Kiedy my nie mamy maślanki – zmartwił się Hugo. – Ale mogę podać sok z czarnej porzeczki albo gorącą czekoladę. Czabo nauczyła mnie dodawać cynamonu do czekolady, to znakomicie poprawia smak.

– Tom ka gai! – podpowiedziało Słoneczko.

– Właśnie! Mamy jeszcze zupę! – ucieszył się Hugo.

Esmeralda spojrzała z góry na Słoneczko i zmarszczyła brwi.

– Nie, dziękuję – powiedziała. – Chociaż to bardzo miło z waszej strony, że chcecie mnie poczęstować. W ogóle wy, dziwolągi, jesteście takie sympatyczne, że nie traktuję was jak zwykłych pracowników wesołego miasteczka, w którym znalazłam się przypadkiem. Traktuję was jak najbliższych przyjaciół.

Dzieci wiedziały, oczywiście, że to zapewnienie jest równie sztuczne jak druga głowa Esmeraldy, ale na ich współpracownikach zrobiło ono niesamowite wrażenie. Hugo uśmiechnął się promiennie do Esmeraldy i wyprężył się dumnie, tak że garb ledwo było widać. Kevin oblał się rumieńcem i spojrzał wstydliwie na swoje dłonie. A Colette tak się wzruszyła, że mimo woli skręciła ciało w wymyślną figurę, przypominającą literę K, a zarazem S.

– Ach, pani Esmeraldo! – westchnęła z zachwytu. – Czy mówi to pani poważnie?

– Oczywiście, że poważnie – odparła Esmeralda, wskazując haft na sukni. – Wolę wasze towarzystwo od najwspanialszych ludzi na świecie.

– O kurczę! – wyrwało się Kevinowi. – Jeszcze nigdy w życiu normalny człowiek nie nazwał mnie przyjacielem.

– A dla mnie jesteś przyjacielem – rzekła Esmeralda i schylając się, cmoknęła Kevina w czubek nosa. – Wszyscy jesteście moimi zaprzyjaźnionymi dziwadłami. I właśnie dlatego tak mi smutno, że jedno z was pójdzie jutro na pożarcie lwom. – Sięgnęła do kieszeni po białą chusteczkę z wyhaftowanym napisem, tym samym co na sukni, i słowem „dziwolągi" otarła sobie oczy. – Naprawdę płakać mi się chce na samą myśl o tym – dodała.

– Nie trzeba, nie trzeba, droga przyjaciółko – uspokajał ją Kevin, poklepując po wierzchu dłoni. – Nie trzeba się smucić.

– Kiedy to silniejsze ode mnie – powiedziała Esmeralda, gwałtownie cofając poklepywaną dłoń, jakby się obawiała, że oburęczność jest zaraźliwa. – Ale mam dla was propozycję, która powinna nas wszystkich bardzo uszczęśliwić. To wielka okazja.

– Okazja? – zaciekawił się Hugo. – Ciekawe, Beverly-Eliot właśnie nam mówił o okazji, która może lada chwila zapukać do drzwi.

– I miał rację – rzekła Esmeralda. – Okazja polega na tym, że już od dziś, zamiast pracować w Gabinecie Osobliwości, możecie przyłączyć się do trupy Hrabiego Olafa, do której i ja należę.

– A co byśmy tam robili? – spytał Hugo.

Esmeralda z uśmiechem wyliczyła mu korzystne aspekty pracy u Hrabiego Olafa, co tu oznacza: „uatrakcyjniła okazję, podkreślając jej zalety, a skrzętnie ukrywając wady".

– Jest to trupa teatralna – wyjaśniła – więc praca polega na noszeniu kostiumów i odgrywaniu scen dramatycznych, a niekiedy na popełnieniu zbrodni.

– Odgrywanie scen dramatycznych! – zachwycił się Kevin, przyciskając obie dłonie do piersi. – Przez całe życie marzyłem o występowaniu na scenie!

– A ja zawsze chciałem chodzić w kostiumie! – zawtórował mu Hugo.

– Przecież już występujecie na scenie, w Gabinecie Osobliwości – zauważyła Wioletka. – A pan Hugo codziennie nosi źle dopasowany kostium.

– Gdy przystąpicie do trupy, będziecie jeździć z nami w najatrakcyjniejsze miejsca na świecie – zachęcała Esmeralda, piorunując wzrokiem Wioletkę. – Członkowie trupy Hrabiego Olafa widzieli już Przebrzmiałą Puszczę i Jezioro Łzawe, i Wioskę Zakrakanych Skrzydlaków – co prawda tylko z tylnego siedzenia samochodu, ale zawsze. A najwspanialsze w tej pracy jest to, że pracuje się u Hrabiego Olafa – jednego z najinteligentniejszych i najprzystojniejszych mężczyzn na tej ziemi.

– I naprawdę myśli pani, że normalny mężczyzna zechce pracować z dziwolągami, takimi jak my? – zwątpiła Colette.

– Oczywiście, że zechce – zapewniła ją Esmeralda. – Hrabia Olaf nie dba o to, czy ktoś jest normalny, czy nienormalny, o ile ten ktoś skłonny jest wypełniać jego rozkazy. Przekonacie się sami, że w trupie Olafa nikt nie będzie uważał was za dziwolągi. A do tego zarobicie fortunę – no, przynajmniej Hrabia Olaf ją zarobi.

– Raju! – zachwycił się Hugo. – Co za okazja!

– Takie już widać wasze garbate szczęście – rzekła Esmeralda. – Bez obrazy, Hugo – dodała zaraz. – O ile skłonni jesteście przystąpić do trupy, pozostaje już tylko jedno do zrobienia.

– Rozmowa wstępna z pracodawcą? – spytała nerwowo Colette.

– Nie widzę powodu, aby narażać moich osobistych przyjaciół na takie przykrości, jak rozmowa wstępna z pracodawcą – odparła Esmeralda. – Chodzi o jedno proste zadanie. Jak wiadomo, jutro po południu Hrabia Olaf ogłosi, który z dziwolągów ma rzucić się lwom na pożarcie. Trzeba, żeby ten dziwoląg, zamiast skoczyć, zepchnął do dołu z lwami Madame Lulu.

W barakowozie dziwolągów zapadła na moment martwa cisza.

– Czy to znaczy – spytał niepewnie Hugo – że mamy zamordować Madame Lulu?

– Po co zaraz wielkie słowo „zamordować"? – uśmiechnęła się Esmeralda. – Potraktujcie to jak zwykłą scenkę dramatyczną. Dla Hrabiego Olafa będzie to niespodzianka, a zarazem dowód waszej odwagi, uprawniający do pracy w jego trupie.

– Zepchnięcie Lulu do dołu z lwami nie wydaje mi się specjalnym aktem odwagi – stwierdziła Colette. – Raczej aktem okrucieństwa i podłości.

– Jak można mówić o okrucieństwie i podłości, skoro każdy dostaje to, czego chce? – odparła Esmeralda. – Pani chce przystąpić do trupy Hrabiego Olafa, publiczność chce zobaczyć, jak lwy pożerają człowieka na żywo, a ja chcę, żeby Madame Lulu została zepchnięta do dołu. Jutro któreś z was będzie miało wspaniałą okazję, aby dać każdemu to, czego chce.

– Wrr – warknęło Słoneczko, ale tylko Klaus i Wioletka zrozumieli, że Słoneczko komunikuje: „Każdemu oprócz Lulu!".

– W takim ujęciu sprawa nie wygląda źle – zamyślił się Hugo.

– Jasne, że nie. – Esmeralda, poprawiła sztuczną głowę. – Zresztą, Madame Lulu nie mogła się doczekać, kiedy was pożrą lwy, więc powinniście się cieszyć, że możecie ją zepchnąć do dołu.

– A dlaczego pani tak na tym zależy? – zainteresowała się Colette.

Esmeralda skrzywiła się szpetnie.

– Hrabia Olaf uważa, że musimy rozreklamować wesołe miasteczko, żeby Madame Lulu chętniej nam pomagała przy pomocy swojej kryształowej kuli – wyjaśniła. – Ale moim zdaniem pomoc Madame Lulu wcale nie jest nam potrzebna. Poza tym, znudziło mi się patrzeć, jak mój narzeczony kupuje tej babie prezenty.

– To jeszcze nie powód, żeby rzucać człowieka na pożarcie lwom – zauważyła przebranym głosem Wioletka.

– Nie dziwi mnie, że osoba z dwiema głowami ma kłopot z myśleniem – powiedziała Esmeralda, wyciągając szponiaste dłonie, aby poklepać Wioletkę i Klausa po malowanych w blizny policzkach. – Ale to minie. Jak tylko przystąpicie do trupy Olafa, głupie myśli przestaną wam dokuczać.

– Pomyśleć... – rozmarzył się Hugo. – Od jutra nie będziemy już dziwolągami, tylko ludźmi Hrabiego Olafa.

– Należy mówić: „mężczyznami i kobietami” – poprawiła go Colette.

Esmeralda uśmiechnęła się szeroko do całego towarzystwa i sięgnęła po worek, który miała na ramieniu.

– Aby uczcić podjęcie przez was nowej pracy – oznajmiła – przyniosłam każdemu prezent.

– Prezent! – uradował się Kevin. – Madame Lulu nigdy nie dawała nam prezentów.

– To dla ciebie, Hugo – rzekła Esmeralda, wyciągając z worka przepastny płaszcz, który Baudelaire'owie poznali, bo swego czasu hakoręki paradował w nim jako portier. Płaszcz bez trudu zasłaniał haki hakorękiego, a teraz osłonił całą postać Hugona, z garbem włącznie. Hugo z zadowoleniem przejrzał się w lustrze.

– Pasuje nawet na garb! – ucieszył się. – Wyglądam w nim normalnie, a nie jak dziwadło!

– No widzi pan? – wpadła mu w słowo Esmeralda. – Hrabia Olaf już zmienia pana życie na lepsze. A to dla pani, Colette, proszę zobaczyć.

Narzeczona Olafa sięgnęła do worka i wyciągnęła długą czarną suknię, którą Baudelaire'owie widzieli przedtem w bagażniku auta.

– Jest taka luźna – zachwalała – że może się w niej pani skręcić, jak pani chce, a i tak nikt nic nie zauważy.

– To spełnienie moich najskrytszych marzeń! – rozczuliła się Colette, ściskając obie ręce Esmeraldy. – Za coś takiego chętnie rzucę nawet sto osób lwom na pożarcie!

– A teraz pan Kevin – powiedziała Esmeralda. – Oto linka. Proszę się odwrócić, to przywiążę panu prawą rękę na plecach i nie będzie jej pan mógł używać.

– I wreszcie będę leworęczny, jak każdy normalny człowiek! – ucieszył się Kevin, zrywając się z krzesła na jednakowo sprawne nogi. – Hura!

Z wielką radością stanął tyłem do Esmeraldy, która przywiązała mu prawą rękę za plecami i tym sposobem w mgnieniu oka uczyniła z osoby oburęcznej jednoręczną.

– O was też nie zapomniałam – ciągnęła Esmeralda, zwracając się z uśmiechem do Baudelaire'ów. – To dla ciebie, Czabo: długa brzytwa, której Hrabia Olaf używa, gdy musi przebrać się za starannie ogolonego. Może z jej pomocą doprowadzisz do ładu swoje wilcze kudły. A to dla Beverly-Eliota.

Esmeralda triumfalnym gestem podsunęła worek starszym Baudelaire'om. Wioletka z Klausem zapuścili żurawia do środka, ale worek był pusty.

– Tym workiem możesz zakryć jedną ze swoich głów – objaśniła Esmeralda. – Będziesz wówczas wyglądać jak człowiek z jedną głową, który akurat niesie coś w worku na ramieniu. Superpomysł, co?

– Niezły – bąknął Klaus piskliwym głosem.

– Co z tobą, nie cieszysz się? – skarcił ich Hugo. – Dostajesz taką fantastyczną pracę, taki piękny prezent, i jeszcze kręcisz obiema głowami?

– Ty też, Czabo – wtrąciła Colette. – Widzę przez twoje futro, że nie jesteś zachwyconym wilkołakiem.

– My raczej nie skorzystamy z okazji – wyjaśniła Wioletka, a Słoneczko i Klaus pokiwali głowami na znak, że też tak uważają.

– Co takiego? – zdenerwowała się Esmeralda.

– Osobiście nie mamy żadnych zastrzeżeń – zapewnił ją pospiesznie Klaus, chociaż niechęć do pracy dla Hrabiego Olafa budziła w sierotach Baudelaire jak najbardziej osobiste zastrzeżenia. – Praca w trupie teatralnej jest na pewno fascynująca, a Hrabia Olaf wydaje się wspaniałym człowiekiem.

– Więc w czym problem? – spytał Kevin.

– Jak by to powiedzieć... – odparła Wioletka. – Nie bardzo nam się uśmiecha rzucanie Madame Lulu na pożarcie lwom.

– Jako druga głowa zgadzam się z moją pierwszą głową – powiedział Klaus. – Czabo też jest tego zdania.

– Na pewno tylko połowicznie – zauważył Hugo. – Założę się o co tylko chcecie, że wilcza część wilkołaka z chęcią obejrzałaby, jak lwy żrą Madame Lulu.

Słoneczko pokręciło główką i warknęło najłagodniej jak umiało, a Wioletka podniosła je z podłogi i posadziła na stole.

– To jakoś nie w porządku – powiedziała najstarsza z Baudelaire'ów. – Wiem, że Madame Lulu nie należy do najsympatyczniejszych osób, ale żeby ją tak od razu rzucać na pożarcie?

Esmeralda uraczyła dwoje starszych Baudelaire'ów fałszywym uśmiechem i schyliwszy się, po raz drugi poklepała ich po policzkach.

– Niech cię o to głowy nie bolą, kto zasługuje na pożarcie, a kto nie – powiedziała, po czym z uśmiechem zwróciła się do Czabo: – Ty też nie zasługujesz na to, żeby być półwilkiem, prawda? Tak to już w życiu jest, że nie zawsze dostajemy to, na co zasługujemy.

– A jednak to nikczemność – zauważył Klaus.

– Nie sądzę – sprzeciwił się Hugo. – Przecież dajemy ludziom to, czego chcą. Lulu sama zawsze mówiła, że tak trzeba.

– Może prześpicie się z tym pomysłem? – zaproponowała Esmeralda, wstając od stołu. – Jutro, zaraz po pokazie lwów, Hrabia Olaf wyjeżdża na północ w Góry Grozy, w pewnej bardzo ważnej sprawie. O ile Madame Lulu zostanie do tego czasu zjedzona, będziecie mogli mu towarzyszyć. Sami do rana zdecydujcie, czy wolicie być dzielnymi członkami trupy teatralnej, czy tchórzliwymi dziwolągami w wesołym miasteczku.

– Ja nie muszę się zastanawiać do rana – oświadczył Kevin.

– Ja też nie – zawtórowała mu Colette. – Już się zdecydowałam.

– Ja również – dodał Hugo. – Chcę należeć do trupy Hrabiego Olafa.

– Miło mi to słyszeć – powiedziała Esmeralda. – Może uda wam się przekonać kolegów, że powinni przyłączyć się do was, skoro wy przyłączacie się do mnie, a ja do niego.

Otwierając drzwi barakowozu, jeszcze raz spojrzała karcąco na Baudelaire'ów. Słynny zachód słońca na uroczysku już dawno minął i nad wesołym miasteczkiem nie pozostało ani śladu błękitnej poświaty.

– Zastanów się dobrze, Beverly-Eliocie, i ty też, Czabo. Może to i niegodziwe, wepchnąć Madame Lulu do dołu pełnego lwów... – To mówiąc,

Esmeralda przekroczyła próg barakowozu i wyglądała teraz jak duch w białej szacie i z dodatkową głową. – Ale jeśli nie przyłączycie się do nas, to dokąd pójdziecie?

Sieroty Baudelaire nie znały odpowiedzi na to straszne pytanie, ale Esmeralda Szpetna sama na nie odpowiedziała, wybuchając długim, złośliwym śmiechem.

– Jeżeli nie zdecydujecie się na niegodziwy postępek, to co ze sobą zrobicie? – rzuciła na sam koniec i zniknęła w mrokach nocy.

ROZDZIAŁ

Dziewiąty

To bardzo dziwne, ale kiedy ktoś nam każe przespać się z jakimś pomysłem – a jak zapewne wiecie, zwrot ten oznacza: „położyć się spać z kłopotliwym pytaniem, aby rano udzielić na nie odpowiedzi" – zazwyczaj wcale nie możemy zasnąć. Rozważając w łóżku trudny problem, człowiek na ogół przewraca się bezustannie z boku na bok, snując najgorsze przypuszczenia i głowiąc się nad wyjściem z sytuacji, a w takich warunkach spanie jest, oczywiście, wykluczone.

Nie dalej jak minionej nocy mnie samego dręczył problem związany z kropelkami do oczu, chciwym dozorcą i tacą nadziewanych ciasteczek, a skutek tego jest taki, że ze zmęczenia ledwo piszę te słofa.

Podobnie było owej nocy z sierotami Baudelaire, którym Esmeralda Szpetna kazała przespać się z pytaniem, co lepsze: rzucić Madame Lulu na pożarcie lwom, czy przyłączyć się do trupy Hrabiego Olafa. Dzieci, naturalnie, nie miały zamiaru przystać do bandy łotrów, a tym bardziej spychać kogokolwiek do dołu pełnego lwów. Jednak Esmeralda zadała im jeszcze jedno pytanie: co zrobią, jeśli nie zdecydują się przyłączyć do bandy Olafa? Właśnie to pytanie spędzało im teraz sen z powiek i sprawiało, że wiercili się z boku na bok w hamakach, a są to wyjątkowo niewygodne miejsca do wiercenia się. Baudelaire'owie mieli dotąd nadzieję, że zamiast przyłączać się do Hrabiego Olafa, zdołają zbiec z uroczyska zmotoryzowanym wagonikiem kolejki górskiej, udoskonalonym przez Wioletkę, zabierając z sobą

Madame Lulu w nieprzebranej postaci Oliwii, a także archiwum spod stolika wróżki, które mogłoby im pomóc w odnalezieniu jednego z rodziców, podobno ocalałego z pożaru oraz kwatery WZS zlokalizowanej podobno w Górach Grozy. Plan ten wydał im się nagle tak skomplikowany, że ze zgrozą myśleli o mnóstwie rzeczy, które mogą go pokrzyżować. Wioletka myślała o aparaturze do produkcji błyskawic, z której chciała zrobić układ napędowy, i martwiła się, że moc silnika będzie niewystarczająca do poruszenia wagoników. Klaus niepokoił się, że w archiwach Madame Lulu może zabraknąć dokumentu zawierającego dokładne wskazówki, jak dotrzeć do kwatery WZS, a więc on i jego siostry zgubią się w górach, o których powiadano, że są wielkie, pełne pułapek i dzikich zwierząt. Słoneczko trapiło się, że podczas ucieczki przez uroczysko zabraknie im jedzenia. A wszyscy troje martwili się, że Madame Lulu nie dotrzyma obietnicy i zdradzi prawdę o przebranych sierotach Hrabiemu Olafowi, gdy ten przyjdzie wypytywać ją o to nazajutrz skoro świt. Baudelaire'owie zamartwiali się tak do rana. Ja przynajmniej miałem szczęście, bo kelner od deserów zapukał w moje okno tuż przed świtem. Ale sieroty Baudelaire, gdy nastał świt, stwierdziły, że chociaż przeleżały się całą noc z pomysłem Esmeraldy, nie doszły do żadnych innych wniosków poza tym, że ich plan – jakkolwiek wielce ryzykowny – jest jedynym, który mogą brać pod uwagę.

Gdy tylko pierwsze promienie słońca padły przez okno barakowozu na rośliny doniczkowe, Baudelaire'owie ześlizgnęli się cicho z hamaków. Hugo, Colette i Kevin, którzy już poprzedniego dnia zdeklarowali się, że przystąpią do trupy Hrabiego Olafa, nie potrzebowali przesypiać się z żadnym pomysłem, więc, jak to często bywa z ludźmi, którzy nie muszą się z niczym przesypiać, spali jak susły i nawet nie drgnęli, gdy trójka dzieci opuszczała barakowóz, aby przystąpić do pracy nad swoim planem.

Hrabia Olaf ze swą trupą wykopał dół dla lwów tuż pod zrujnowaną kolejką górską, tak blisko jej karkołomnych torów, że aby dotrzeć do obrośniętych bluszczem wagoników, dzieci musiały przejść samym skrajem złowieszczego dołu. Nie był on zbyt głęboki, wystarczająco jednak, aby nikt, kto się tam znalazł, nie mógł wygramolić się na górę o własnych siłach. Nie był też zbyt obszerny, więc lwy tłoczyły się w nim tak samo, jak wcześniej w przyczepie. Podobnie jak współpracownicy Baudelaire'ów, lwy też nie miały najwyraźniej problemu, z którym musiałyby się przesypiać, toteż chrapały sobie w najlepsze w porannym słonku. We śnie nie wyglądały zbyt groźnie. Niektóre miały potargane grzywy, jakby od dawna nikt ich nie wyczesał, a od czasu do czasu któremuś dziarsko drgnęła łapa, jakby śnił słodko o dawnych, lepszych dniach. Na ich grzbietach i brzuchach znaczyły się pręgi po uderzeniach pejczem Hrabiego Olafa, co niezmiernie wzruszyło Baudelaire'ów, zwłaszcza że prawie wszystkie lwy były strasznie wychudzone – najwyraźniej od dawna nie odżywiały się jak należy.

– Żal mi ich – powiedziała Wioletka, patrząc na lwiego chudzielca, z którego pozostała sama skóra i kości. – O ile można wierzyć Madame Lulu, te lwy były kiedyś szlachetnymi istotami, a teraz patrzcie, jak haniebnie potraktował je Hrabia Olaf.

– Wyglądają na opuszczone – stwierdził ze smutkiem Klaus, mrużąc oczy, żeby lepiej przyjrzeć się lokatorom dołu. – Może i one są sierotami.

– Ale może i one mają gdzieś ocalałych rodziców – pocieszyła go Wioletka. – Na przykład w Górach Grozy.

– Edasurka – powiedziało Słoneczko, komunikując coś w sensie: „Może kiedyś uda nam się uratować te lwy”.

– Na razie ratujmy samych siebie – westchnęła Wioletka. – Klaus, spróbuj wyplątać ten pierwszy wagonik z bluszczu. Potrzebne nam będą chyba dwa, jeden dla pasażerów, a drugi na archiwum, więc ty, Słoneczko, weź się za usuwanie bluszczu z następnego.

– Pestka! – powiedziało Słoneczko, wskazując swoje zęby.

– Wszystkie barakowozy stoją na kołach – zauważył Klaus. – Czy nie byłoby łatwiej podłączyć napęd do któregoś z nich?

– Barakowóz jest za duży – odparła Wioletka. – Do ruszenia go z miejsca potrzebny byłby samochód albo czwórka koni. Będziemy mieli szczęście, jeżeli uda mi się uruchomić motory tych wagoników. Madame Lulu mówiła, że są całkiem przerdzewiałe.

– Odnoszę wrażenie, że oparliśmy swoje nadzieje na wielce ryzykownym planie – powiedział Klaus, zdzierając z wagonika garść pnączy. – Chociaż właściwie nie jest to plan bardziej ryzykowny niż wiele innych naszych przedsięwzięć – na przykład kradzież żaglówki.

– Albo wspinaczka po ścianie szybu windy – dodała Wioletka.

– Łajka – wymamrotało Słoneczko z buzią pełną bluszczu, komunikując coś w sensie: „Albo udawanie chirurgów”.

– W gruncie rzeczy – podsumowała Wioletka – ryzyko tego planu jest minimalne. Spójrzcie na ośki wagonika.

– Ośki? – powtórzył Klaus.

– Pręty utrzymujące kółka – wyjaśniła Wioletka, wskazując podwozie wagonika. – Są w idealnym stanie. To dobra wiadomość, bo pojazd ma nam wystarczyć na daleką podróż.

Najstarsza z Baudelaire'ów oderwała na chwilę wzrok od pracy i spojrzała na horyzont. Na wschodzie wstawało właśnie słońce, niebawem jego pierwsze promienie miały odbić się od lusterek w namiocie wróżki. Za to od strony północnej widać było masyw Gór Grozy, piętrzący się w oddali osobliwymi, ciosanymi kształtami, co upodabniało go raczej do wielkich schodów niż do łańcucha górskiego. Na wyższych stopniach tych schodów leżał śnieg, a sam szczyt spowijała gęsta, szara mgła.

– Długa droga przed nami – orzekła Wioletka. – I nie ma co liczyć na warsztaty naprawcze po drodze.

– Ciekawe, co znajdziemy w Górach Grozy – zamyślił się Klaus. – Nigdy jeszcze nie zwiedzałem kwatery głównej.

– Ja też nie – powiedziała Wioletka. – Nachyl się teraz ze mną, Klaus, żebym mogła obejrzeć silnik tego wagonika.

– Gdybyśmy wiedzieli więcej o WZS – ciągnął wątek Klaus – można by się przynajmniej czegoś domyślać. No, jak tam silnik?

– Nie najgorzej – odparła Wioletka. – Parę tłoków przerdzewiało, ale mogę je zastąpić haczykami do zapinania pasażerów, a pasek klinowy weźmiemy z aparatury do produkcji błyskawic. Potrzeba jeszcze tylko jednej rzeczy – liny albo drutu do połączenia wagoników.

– Bluś? – zasugerowało Słoneczko.

– Świetny pomysł, Słoneczko! – pochwaliła Wioletka. – Łodygi tego bluszczu wydają się dość mocne. Bądź tak dobra i oskub je z liści.

– A ja, co mogę zrobić? – upomniał się Klaus.

– Pomóż mi przewrócić wagonik do góry kołami – poprosiła Wioletka. – Tylko uważaj, gdzie stawiasz nogi, żebyś przypadkiem nie wpadł nam do dołu.

– Nie chcę, żeby ktokolwiek wpadł do tego dołu – wzdrygnął się Klaus. – Oni chyba nie zepchną tam naprawdę Madame Lulu, jak sądzisz?

– O ile ze wszystkim zdążymy, to nie – rzekła ponuro Wioletka. – Spróbuj nagiąć ten haczyk tak, żeby wszedł w to uszko. Nie, nie w tę stronę, odwrotnie! Mam nadzieję, że Esmeralda nie każe rzucić lwom na pożarcie kogoś innego, kiedy zobaczy, że uciekliśmy z Madame Lulu.

– Pewnie każe – burknął Klaus, mocując się z haczykiem. – Nie rozumiem, jak Hugo, Colette i Kevin mogą chcieć zadawać się z ludźmi, którzy robią takie straszne rzeczy.

– Pewnie jest im po prostu miło, że nareszcie ktoś traktuje ich jak normalnych ludzi – powiedziała Wioletka, zerkając do dołu. Jeden z lwów ziewnął, wyprężył łapy i otworzył zaspane oko, ale nie wydawał się zainteresowany trójką dzieci pracujących w pobliżu. – Może z tego samego powodu hakoręki pracuje dla Hrabiego Olafa, albo ten łysy z długim nosem. Może chcieli kiedyś pracować gdzieś indziej, ale gdziekolwiek poszli, wszyscy się z nich śmiali.

– A może zwyczajnie lubią popełniać zbrodnie – powiedział Klaus.

– To też możliwe – przyznała Wioletka, przypatrując się z marsową miną podwoziu wagonika. – Szkoda, że nie mam przy sobie zestawu narzędzi naszej mamy – powiedziała. – Mama miała taki śliczny mały kluczyk francuski, bardzo by mi się teraz przydał.

– Mama na pewno lepiej by ci pomogła niż ja – westchnął Klaus. – Nic a nic nie mogę się połapać w tym, co robisz.

– Ależ świetnie się spisujesz – pocieszyła go Wioletka. – Zwłaszcza że tkwimy w jednej koszuli. Jak tam nasze pnącza, Słoneczko?

– Lesoto – zameldowało Słoneczko, komunikując: „Właśnie kończę".

– Brawo – pochwaliła Wioletka, zerkając w stronę słońca. – Nie wiem, ile czasu nam jeszcze zostało. Hrabia Olaf już pewnie siedzi w namiocie wróżki i wypytuje o nas kryształową kulę. Miejmy nadzieję, że Madame Lulu dotrzyma słowa i nie da Olafowi tego, czego on tak bardzo chce. Podaj mi tę metalową sztabkę z ziemi, Klaus. Zdaje się, że był to kiedyś kawałek szyny, ale ja z niego zrobię drążek sterowniczy.

– Życzyłbym sobie, żeby Madame Lulu mogła raczej nam dać to, czego chcemy – powiedział Klaus, podając sztabkę siostrze. – Chciałbym dowiedzieć się, czy któreś z naszych rodziców przeżyło pożar, bez konieczności włóczenia się po nieznanych górach.

– Ja też – zgodziła się z nim Wioletka. – Szczególnie że wcale nie wiadomo, czy ich tam znajdziemy. Może są właśnie gdzieś w okolicy i szukają nas?

– Pamiętasz stację? – spytał Klaus, a Wioletka kiwnęła głową.

– Izubek? – zagadnęło Słoneczko, podając siostrze oskubane pnącza. Mówiąc „izubek”, Słoneczko komunikowało coś w sensie: „Ja nie pamiętam". I nic dziwnego, że nie pamiętało, bo w sytuacji, którą wspominali Klaus i Wioletka, Słoneczka jeszcze nie było na świecie. Otóż rodzina Baudelaire'ów wybrała się na weekend do winnicy, czyli „gospodarstwa rolnego zajmującego się uprawą winogron na wino". Była to winnica słynąca z winogron o wyjątkowo apetycznym zapachu, więc bardzo miło było biwakować na łące owianej winnym aromatem, w towarzystwie słynnych miejscowych osłów, które wieczorami zwoziły z pola wielkie kosze winogron, a teraz drzemały sobie w cieniu winorośli. Aby dostać się do winnicy, Baudelaire'owie musieli jechać nie jednym, lecz dwoma pociągami, z przesiadką na ruchliwej stacji nieopodal Paltryville. Tam właśnie zdarzyło się to, co teraz wspominali Wioletka i Klaus: dzieci zostały oddzielone od rodziców przez rozpędzony tłum przesiadających się podróżnych. Wioletka z Klausem, którzy byli jeszcze całkiem mali, postanowili poszukać rodziców w otaczających stację sklepikach i warsztatach – i już niebawem miejscowy szewc, kowal, kominiarz i technik komputerowy pomagali przerażonym malcom szukać mamy i taty. Wkrótce potem rodzina Baudelaire'ów znów była w komplecie, ale tata Baudelaire udzielił dzieciom ważnej życiowej nauki: „Kiedy stracicie nas z oczu, nie ruszajcie się z miejsca". „Tak jest" – potwierdziła mama. – „Nie szukajcie nas, my sami was odnajdziemy".

Klaus i Wioletka obiecali to wtedy rodzicom z całą powagą – ale teraz czasy się zmieniły. Mówiąc „kiedy stracicie nas z oczu", rodzice Baudelaire myśleli przecież tylko o tym, że dzieci mogą zgubić ich w tłumie, tak jak to się stało na stacji niedaleko Paltryville, gdzie parę tygodni temu osobiście jadłem obiad i rozmawiałem z synem szewca o tamtych zdarzeniach. Rodzice Baudelaire z całą pewnością nie myśleli o tym, że mogą zniknąć dzieciom z oczu na skutek strasznego pożaru, który przynajmniej jednemu z nich odebrał życie. Są takie chwile w życiu, że lepiej nie ruszać się z miejsca i czekać, aż to, czego pragniemy, samo do nas przyjdzie, ale bywa i tak, że trzeba wyruszyć w świat i samemu szukać obiektu swoich pragnień. Ja sam, podobnie jak sieroty Baudelaire, nieraz trafiałem w takie miejsca, z których nie ruszać się byłoby albo niebezpieczną głupotą, albo głupim niebezpieczeństwem. Tak było ze mną w pewnym domu towarowym, gdzie na metce z ceną wyczytałem coś, co kazało mi wyjść stamtąd natychmiast, i to w całkiem zmienionym ubraniu. Innym razem, siedząc na lotnisku, usłyszałem przez megafon coś, co kazało mi odlecieć jeszcze tego samego dnia, ale innym, późniejszym lotem. A gdy stanąłem pod torami kolejki górskiej w wesołym miasteczku Karnawał Kaligariego, wiedziałem już to, czego sieroty Baudelaire nie mogły wiedzieć w ów spokojny poranek, o którym mowa. Obejrzałem sobie wagoniki, stopione w jeden blok i przysypane popiołem, zajrzałem do dołu wykopanego przez Hrabiego Olafa i jego kompanów i zobaczyłem w nim kupkę zwęglonych kości, pozbierałem okruchy lustra i kryształu na terenie dawnego namiotu wróżki – a rezultat całych tych oględzin był jednoznaczny. Gdybym więc mógł jakimś cudem wślizgnąć się w przeszłość z równą łatwością, z jaką wślizgnąłem się w przebranie, które mam na sobie, poszedłbym zaraz na skraj dołu z lwami i zdradziłbym Baudelaire'om rezultat moich dochodzeń. Lecz niestety, nic z tego. Mogę jedynie spełnić swój święty obowiązek, spisując na maszynie tę historię najlepiej, jak potrafię, co do ostatniego słowa.

– Waj – powiedziało Słoneczko, gdy brat i siostra skończyli opowiadać mu o przygodzie na stacji. Mówiąc „waj", Słoneczko komunikowało coś w sensie: „Moim zdaniem tym razem powinniśmy ruszyć się z miejsca, i to szybko".

– Jeszcze nie możemy – odparła Wioletka. – Drążek sterowniczy zamontowany, wagoniki połączone, ale bez paska klinowego motor nie zadziała. Skoczmy do namiotu wróżki i rozmontujmy aparaturę do produkcji błyskawic.

– Olaf? – przypomniało Słoneczko.

– Miejmy nadzieję, że Madame Lulu już go odesłała – rzekła Wioletka – bo inaczej krucho z nami. Wynalazek musi być gotowy przed pokazem, nie możemy przecież na oczach wszystkich wsiąść w wagonik i odjechać.

Z głębi dołu zabrzmiał stłumiony pomruk i dzieci zorientowały się, że większość lwów już nie śpi, tylko desperacko toczy wzrokiem po otoczeniu. Niektóre usiłowały przechadzać się po ciasnym dole, ale potykały się tylko o towarzyszy, co przyprawiało je o jeszcze większą desperację.

– Te lwy wyglądają na zgłodniałe – powiedział Klaus. – Ciekawe, czy pokaz już niedługo.

– Aklek – poradziło Słoneczko, komunikując: „Wynośmy się stąd".

I Baudelaire'owie wynieśli się z sąsiedztwa kolejki górskiej. Zmierzając do namiotu wróżki, napotkali całkiem sporo amatorów rozrywki, którzy już zdążyli się tam pojawić. Niektórzy chichotali głośno na widok sierot.

– Patrzcie! – krzyknął ze złośliwym uśmiechem jakiś pan, pokazując ich palcem. – Ale dziwolągi! Musimy koniecznie obejrzeć później pokaz lwów – może pożrą któregoś!

– Mam nadzieję! – powiedział na to jego towarzysz. – Nie po to tłukłem się taki kawał drogi, żeby nie mieć z tego żadnej przyjemności.

– Kasjerka z budki przy wejściu zdradziła mi, że jest tu dzisiaj ktoś z „Dziennika Punctilio", ma napisać reportaż o tym, kto zostanie pożarty – oznajmił gość w koszulce z napisem KARNAWAŁ KALIGARIEGO, zakupionej zapewne w sklepie z upominkami.

– Z „Dziennika Punctilio"! – wykrzyknęła towarzysząca mu dama. – To wspaniale! Od tygodni czytam ich relacje o mordercach Baudelaire. Uwielbiam sceny gwałtu!

– A kto ich nie uwielbia, moja droga? – odparł gość w koszulce. – Szczególnie w połączeniu z niechlujnym jedzeniem.

Gdy Baudelaire'owie doszli już prawie do namiotu wróżki, jakiś mężczyzna zagrodził im drogę. Dzieci podniosły wzrok, a dostrzegłszy pryszcze na brodzie zawalidrogi, rozpoznały w nim wyjątkowo grubiańskiego widza z Gabinetu Osobliwości.

– I kogóż my tu widzimy? – zagadnął szyderczo. – Toż to Czabo, szczeniak wilkołaka, i Beverly-Eliot, dwugłowe dziwadło!

– Miło znów pana widzieć – odparła pospiesznie Wioletka.

Chciała obejść intruza bokiem, on jednak złapał za skraj koszuli, którą Wioletka dzieliła z bratem, więc musieli się zatrzymać, żeby nie rozerwał kostiumu i nie zdemaskował ich.

– A druga głowa? – szydził w najlepsze pryszczaty. – Też się cieszy, że znów mnie widzi?

– Oczywiście – odparł Klaus. – Ale spieszymy się troszeczkę, więc jeśli pan pozwoli...

– Nie pozwalam na nic dziwadłom – burknął pryszczaty. – Dziwadłom nic nie wolno. Czemu nie założysz sobie worka na jedną głowę, żeby wyglądać trochę bardziej normalnie?

– Wrr! – warknęło Słoneczko, szczerząc zęby na łydki szydercy.

– Proszę zostawić nas w spokoju – powiedziała Wioletka. – Czabo to wilkołak obronny, może ugryźć, jeśli zanadto się pan zbliży.

– Założę się, że wasz Czabo nie da rady gromadzie krwiożerczych lwów – zaśmiał się pryszczaty. – Już nie mogę się doczekać pokazu, mamusia tak samo.

– Tak, ja tak samo, syneczku – potwierdziła pani stojąca nieopodal. Podeszła bliżej, aby dać synowi całusa, a Baudelaire'owie przekonali się, że pryszcze są u nich dziedziczne. – O której zaczyna się pokaz lwów, dziwadła?

– Pokaz lwów zaczyna się już za chwilę!

Pryszczaty i jego mamusia odwrócili się, żeby zobaczyć, kto to mówi, ale Baudelaire'owie nie musieli się odwracać, żeby poznać głos Hrabiego Olafa. Łotr stał u wejścia do namiotu wróżki, z pejczem w ręku i wyjątkowo niecnym błyskiem w oku. I pejcz, i oko były znane sierotom Baudelaire aż nazbyt dobrze. Pejczem Hrabia Olaf zachęcał lwy do większej krwiożerczości, co Baudelaire'owie mogli obserwować dzień wcześniej, a co do błysku w oku – widzieli go więcej razy, niż potrafiliby zliczyć. Taki błysk pojawia się zwykle w oku kogoś, kto opowiada dowcip, lecz w przypadku Olafa oznaczał on, że jeden z niecnych planów łotra rozwija się wyjątkowo pomyślnie.

– Pokaz lwów zaczyna się już za chwilę! – obwieścił zgromadzonym Hrabia Olaf. – Właśnie przepowiedziano mi przyszłość i dostałem to, czego chciałem.

Hrabia Olaf wskazał pejczem namiot wróżki, po czym odwrócił się na pięcie i tym samym pejczem wycelował w przebranych Baudelaire'ów, szczerząc się triumfalnie do publiczności.

– Panie i panowie! Czas udać się do lwów, aby i państwo mogli dostać od nas to, czego chcą!

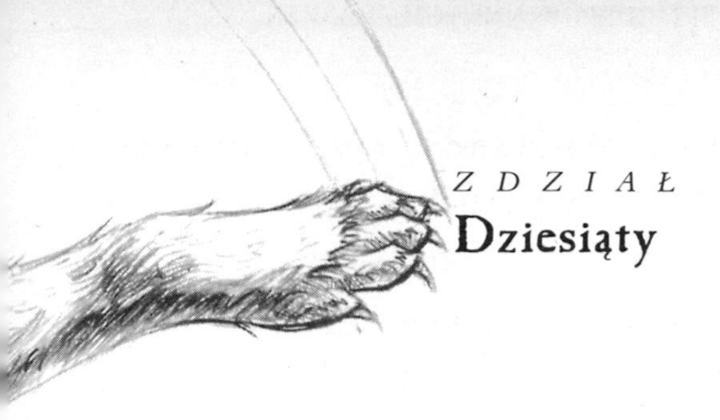

ZDZIAŁ

Dziesiąty

– Ja już lecę do lwów! – pisnęła jakaś pani z tłumu. – Chcę sobie zająć jak najlepsze miejsce!

– Ja też! – zawtórował jej pan stojący obok. – Nie ma sensu, żeby lwy pożerały człowieka, jeżeli nikt na to nie patrzy!

– Szybciej, szybciej! – ponaglał pryszczaty. – Tam już jest kupa ludzi.

Sieroty Baudelaire obejrzały się i stwierdziły, że pryszczaty mówi prawdę. Wieść o najnowszej atrakcji Karnawału Kaligariego musiała roznieść się daleko poza uroczysko, bo widzów było znacznie więcej niż poprzedniego dnia, i z każdą chwilą przybywali następni.

R

– Poprowadzę państwa do dołu – oznajmił Hrabia Olaf. – W końcu pokaz lwów to mój pomysł, więc mam prawo iść przodem.

– To pana pomysł? – zainteresowała się kobieta, którą dzieci pamiętały z pobytu w Szpitalu Schnitzel. Ubrana była w szary kostium i żuła gumę, nawet kiedy mówiła do mikrofonu. Była to reporterka z „Dziennika Punctilio". – Bardzo chciałabym opisać to w naszej gazecie. Jak się pan nazywa?

– Hrabia Olaf! – przedstawił się dumnie Hrabia Olaf.

– Już widzę ten nagłówek: „HRABIA OLAF POMYSŁODAWCĄ POKAZU LWÓW"! Czytelnicy „Dziennika Punctilio" będą zachwyceni!

– Momencik! – wtrącił się ktoś z tłumu. – Myślałem, że Hrabia Olaf został zamordowany przez troje dzieciaków?

– To był Hrabia Omar – sprostowała reporterka. – Chyba wiem, bo to ja pisałam o Baudelaire'ach dla „Dziennika Punctilio". Hrabia Omar został zamordowany przez troje młodocianych Baudelaire'ów, którzy wciąż pozostają na wolności.

– Niech tylko ich złapią! – odezwał się ktoś z tłumu. – Zaraz ich rzucimy lwom na pożarcie!

– Świetny pomysł! – ucieszył się Hrabia Olaf. – Tymczasem jednak lwy przekąszą sobie jednego z naszych pysznych dziwolągów. Proszę za mną, panie i panowie, przed nami popołudnie pełne scen gwałtu i niechlujnego jedzenia!

– Hura! – wrzasnęło parę osób z tłumu, a Olaf skłonił się i poprowadził widzów w stronę zrujnowanej kolejki górskiej, gdzie już czekały lwy.

– Za mną, dziwolągi! – zachęcał, wskazując palcem Baudelaire'ów. – Resztę przyprowadzą moi asystenci. Chcemy, żeby wszystkie dziwolągi były obecne na ceremonii losowania.

– Ja przyprowadzam je, mój Olaf – zaoferowała się z przebranym akcentem Madame Lulu, stając w wejściu do namiotu wróżki. Na widok Baudelaire'ów zrobiła wielkie oczy i szybko schowała ręce za siebie. – Ty, proszę, prowadź lud do dół i udzielaj wywiad po drodze.

– Tak, tak! – poparła ją entuzjastycznie reporterka. – Już widzę ten nagłówek: „SPECJALNIE DLA NASZEJ GAZETY – JEDYNY WYWIAD Z HRABIĄ OLAFEM, KTÓRY NIE JEST HRABIĄ OMAREM, KTÓRY NIE ŻYJE". Czytelnicy „Dziennika Punctilio" będą zachwyceni!

– To zrozumiałe, że będą zachwyceni, czytając o mnie – stwierdził Hrabia Olaf. – No dobrze, to ja idę z reporterką, Lulu. Tylko się pospiesz z tymi dziwolągami.

– Tak jest, mój Olaf, proszę – obiecała Madame Lulu. – Chodź ze mną dziwolągi, proszę.

Lulu wyciągnęła ręce do Baudelaire'ów, całkiem jak troskliwa mamusia, która chce przeprowadzić pociechy przez ulicę, a nie jak fałszywa wróżka, która wiedzie potencjalne ofiary na pożarcie lwom. Dzieci zauważyły, że na jednej dłoni Madame Lulu widnieje dziwna, cienka smuga, a druga dłoń jest dziwnie mocno zaciśnięta w pięść. Baudelaire'om wcale się nie uśmiechało chwycić za te ręce i udać się wraz z nimi na pokaz lwów, ale otaczał ich tak wielki tłum rozemocjonowanych miłośników scen gwałtu, że nie mieli właściwie innego wyjścia. Słoneczko złapało więc za prawą rękę Lulu, a Wioletka za lewą, i w tej dziwnej konfiguracji ruszyli w stronę zrujnowanej kolejki górskiej.

– Oliwi... – zaczął Klaus, ale rzut oka na publiczność uświadomił mu, że głupio robi, nazywając Madame Lulu po imieniu. – Chciałem powiedzieć, Madame Lulu – poprawił się, po czym jak najciszej szepnął Wioletce wprost do ucha: – Idźmy najwolniej, jak się da. Może nadarzy się okazja, żeby wrócić chyłkiem do namiotu i rozmontować aparaturę do produkcji błyskawic.

Madame Lulu nie odezwała się, tylko nieznacznie pokręciła głową, na znak, że pora jest nieodpowiednia na takie rozmowy.

– Pasklin – przypomniało jej cichutko Słoneczko, ale ona znów tylko pokręciła głową.

– Dotrzymała pani obietnicy, prawda? – wymamrotał Klaus, głosem nieco donośniejszym od szeptu. Madame Lulu udała jednak, że nie słyszy. Klaus szturchnął Wioletkę pod osłoną wspólnej koszuli. – Wioletko – szepnął z lękiem, że nazywa ją po imieniu – poproś Madame Lulu, żeby szła wolniej.

Wioletka spojrzała ukradkiem na brata, a potem na Słoneczko. Młodsi Baudelaire'owie ze zdziwieniem ujrzeli, że Wioletka kręci nieznacznie głową, zupełnie jak przed chwilą Madame Lulu, a potem spuszcza wzrok na rękę wróżki, spoczywającą w jej dłoni. Spomiędzy palców Wiolctki sterczał kawałek gumy, który Klaus i Słoneczko rozpoznali natychmiast. Była to ta część aparatury do produkcji błyskawic, która przypominała pasek klinowy – dokładnie to, czego potrzebowała Wioletka, aby zamienić waganiki górskiej kolejki w wynalazek zdolny przenieść Baudelaire'ów daleko poza uroczysko, aż w Góry Grozy. Lecz zamiast nabrać nadziei na widok tego tak potrzebnego elementu w dłoni Wioletki, Baudelaire'owie nabrali jak najgorszych przeczuć.

Jeśli zdarzyło wam się przeżyć coś, co wygląda dziwnie znajomo, jakby dokładnie ta sama rzecz już kiedyś się zdarzyła, to doświadczyliście tego, co Francuzi nazywają *déjà vu*. Jak większość francuskich wyrażeń – na przykład *ennui*, które jest wyszukanym określeniem skrajnej nudy, albo *la petite mort*, które oznacza, że coś w nas umarło – także i *déjà vu* odnosi się do zjawisk raczej nieprzyjemnych, toteż Baudelaire'om nieprzyjemnie było stanąć nad dołem z lwami i doświadczyć osobliwego uczucia *déjà vu*. Kiedy byli w Szpitalu Schnitzel, znaleźli się w teatrze operacyjnym, gdzie tłum widzów oczekiwał z niecierpliwością sceny gwałtu, a konkretnie – operacji na pewnej pacjentce. Kiedy mieszkali w miasteczku WZS, znaleźli się na polu, gdzie tłum widzów oczekiwał z niecierpliwością sceny gwałtu, a konkretnie – spalenia pewnej osoby na stosie. A teraz, gdy Madame Lulu puściła ich ręce, ujrzeli wielki i dziwnie znajomy tłum widzów, otaczający ich pod ruiną kolejki górskiej. Ten tłum również oczekiwał z niecierpliwością sceny gwałtu. Baudelaire'owie znów drżeli o własne życie. I znowu była to wina Hrabiego

Olafa. Spojrzeli nad głowami wiwatującego tłumu na dwa wagoniki przystosowane przez Wioletkę do podróży. Brakowało już jedynie paska klinowego, aby dzieci mogły wyruszyć na poszukiwanie jednego z rodziców. Teraz jednak, spoglądając na powiązane bluszczem i przystosowane do jazdy terenowej wagoniki po drugiej stronie dołu, Wioletka, Klaus i Słoneczko doświadczyli osobliwego uczucia *déjà vu* i zadali sobie w duchu pytanie, czy przypadkiem nie czeka ich kolejne smutne zakończenie serii zdarzeń.

– Panie i panowie! Witam i zapraszam na najbardziej emocjonujący spektakl waszego życia! – obwieścił Hrabia Olaf i strzelił z pejcza nad dołem. Pejcz był wystarczająco długi, aby smagnąć po grzbietach niespokojne lwy, które ryknęły posłusznie i zakłapały z głodu zębiskami. – Oto krwiożercze bestie gotowe do pożarcia dziwoląga! – powiedział Olaf. – Tylko którego?

Tłum rozstąpił się, bo nadchodził właśnie hakoręki, wiodąc gęsiego współpracowników sierot Baudelaire na sam skraj dołu, gdzie stali już

Wioletka, Klaus i Słoneczko. Hugo, Colette i Kevin ubrani byli w swoje stare kostiumy dziwolągów – widocznie ktoś zabronił im włożyć to, co dostali w prezencie od Esmeraldy. Uśmiechnęli się niemrawo do Baudelaire'ów i z obawą spojrzeli na rozjuszone lwy. Z chwilą gdy zajęli miejsca obok dzieci, z tłumu wyłonili się pozostali kompani Hrabiego Olafa. Esmeralda Szpetna miała na sobie garnitur w prążki i niosła umbrelkę, czyli małą parasolkę, którą damy osłaniają oczy przed słońcem. Uśmiechnęła się promiennie do tłumu i zajęła miejsce na krzesełku przyniesionym specjalnie dla niej przez łysego asystenta Olafa, który w drugiej ręce przytaszczył długą deskę. Deskę tę umieścił teraz poprzecznie na skraju dołu, tak że przypominała trampolinę nad basenem. Na koniec wystąpiły dwie bladolice, niosąc niedużą drewnianą skrzynkę z otworem w pokrywie.

– Ostatni dzień w tych ciuchach! Jak się cieszę! – mruknął Hugo do Baudelaire'ów, poprawiając przyciasny płaszcz. – Pomyślcie tylko, niedługo będę członkiem trupy Hrabiego Olafa! Już nigdy nie będę wyglądał jak dziwoląg.

– Chyba że rzucą cię na pożarcie lwom – wyrwało się Klausowi.

– Żartujesz? – odszepnął Hugo. – Jeśli mnie wylosują, wepchnę do dołu Madame Lulu, tak jak kazała Esmeralda.

– Przyjrzyjcie się dobrze tym dziwolągom – zachęcał Hrabia Olaf, a kilka osób z tłumu zachichotało. – Popatrzcie, jaki śmieszny garb ma Hugo. Pomyślcie, jakie to komiczne, że Colette może zwinąć się w najdziwniejszą figurę. Ubawcie się absurdalnym widokiem Kevina, który jest oburęczny i obunożny. Uśmiejcie się z Beverly-Eliota, dziwoląga z dwiema głowami. Turlajcie się ze śmiechu, patrząc na Czabo, młodego wilkołaka!

Tłum zaczął pękać ze śmiechu. Wszyscy pokazywali sobie ich zdaniem najśmieszniejsze postacie.

– Patrzcie na Czabo, ale ma śmieszne zęby! – krzyknęła kobieta, która miała włosy ufarbowane na różne kolory. – Wygląda idiotycznie!

– Kevin jest najśmieszniejszy! – zawołał jej mąż, który miał identycznie ufarbowane włosy. – Mam nadzieję, że to jego wrzucą do dołu. Śmiesznie będzie patrzeć, jak broni się wszystkimi rękami i nogami.

– Ja bym chciała, żeby wrzucili tego dziwoląga z hakami zamiast rąk! – odezwała się jakaś dama za plecami Baudelaire'ów. – To by dopiero była scena gwałtu!

– Ja nie jestem dziwoląigiem – obruszył się hakoręki. – Jestem pracownikiem Hrabiego Olafa.

– O, przepraszam – zmitygowała się dama. – W takim razie głosuję za tym pryszczatym.

– Ja jestem widzem, a nie żadnym dziwolągiem! – oburzył się pryszczaty. – Po prostu cierpię na dolegliwości skórne.

– No to może ta pani w kretyńskim garniturze? – speszyła się dama. – Albo ten gość z pojedynczą brwią?

– Jestem narzeczoną Hrabiego Olafa – wyjaśniła z godnością Esmeralda. – A mój garnitur jest modny, a nie kretyński.

– Mnie tam wszystko jedno, kto tu jest dziwolągiem, a kto nie – odezwał się ktoś z tłumu. – Najważniejsze, żeby lwy miały kogo pożreć.

– Pożrą, pożrą – obiecał Hrabia Olaf. – Za chwilę rozpoczniemy losowanie. Imiona wszystkich dziwolągów wypisano na karteczkach, umieszczonych w tej oto skrzynce, którą trzymają nasze dwie urocze panie.

Bladolice uniosły skrzynkę i dygnęły przed publicznością, a Esmeralda obrzuciła je nieprzychylnym spojrzeniem.

– Urocze? Nie sądzę – powiedziała, ale usłyszało to niewiele osób, bo tłum głośno wiwatował.

– Za chwilę sięgnę do tej skrzynki – obwieścił Hrabia Olaf – wyciągnę jedną karteczkę i odczytam z niej na głos imię wylosowanego. Wyczytany dziwoląg wejdzie na tę oto deskę i skoczy do dołu, a my wszyscy będziemy się przyglądać, jak pożerają go lwy.

– Albo ją – uzupełniła Esmeralda.

Obejrzała się na Madame Lulu, a potem na Baudelaire'ów i ich współpracowników. Odłożywszy na chwilę umbrelkę, wykonała szponiastymi palcami gest popychania, żeby przypomnieć im o planowanym podstępie.

– Albo ją – powtórzył Hrabia Olaf, z zaciekawieniem obserwując gest Esmeraldy. – Czy są jakieś pytania, zanim przystąpimy do ceremonii?

– Dlaczego właśnie pan losuje? – spytał pryszczaty.

– Bo to ja wpadłem na ten pomysł – odparł Hrabia Olaf.

– Mam pytanie – odezwała się kobieta z farbowanymi włosami. – Czy to jest zgodne z prawem?

– Daj spokój, nie psuj zabawy – skarcił ją mąż. – Sama chciałaś tu przyjechać i zobaczyć, jak lwy pożerają człowieka, więc cię przywiozłem. Jak masz zadawać kłopotliwe pytania, to lepiej idź stąd i poczekaj na mnie w samochodzie.

– Proszę zaczynać, panie Hrabio – powiedziała reporterka „Dziennika Punctilio".

– A więc zaczynam – rzekł Hrabia Olaf, i raz jeszcze smagnął lwy pejczem, zanim sięgnął do skrzynki. Bardzo wolno, uśmiechając się okrutnie do dzieci i ich współpracowników, gmerał wewnątrz, aż w końcu wyciągnął malutką, wielokrotnie złożoną karteczkę. Tłum wstrzymał oddech i wytężył wzrok, a Baudelaire'owie wyciągnęli szyje, próbując zobaczyć cokolwiek nad głowami dorosłych widzów. Ale Hrabia Olaf nie od razu rozwinął karteczkę. Przez dłuższą chwilę trzymał ją w górze, uśmiechając się szeroko.

– Będę rozwijał los bardzo, bardzo powoli – zapowiedział – aby stopniować napięcie.

– Co za mądry pomysł! – zachwyciła się reporterka i z przejęcia strzeliła balonem z gumy do żucia. – Już widzę ten nagłówek: „HRABIA OLAF STOPNIUJE NAPIĘCIE".

– Umiem zadziwiać tłumy, przez wiele lat pracowałem jako słynny aktor – wyjaśnił Olaf, uśmiechając się do reporterki i wciąż dzierżąc w górze zwinięty papierek. – Niech pani to koniecznie zanotuje.

– Nie omieszkam – przyrzekła skwapliwie reporterka, podsuwając mikrofon pod sam nos Olafa.

– Panie i panowie! – wykrzyknął Olaf. – Oto rozwijam pierwsze zagięcie karteczki!

– O kurczę! – zawołał spory chórek widzów. – Hip-hip hura dla pierwszego zagięcia!

– Zostało już tylko pięć – poinformował Olaf. – Jeszcze tylko pięć zagięć i dowiemy się, który dziwoląg zostanie rzucony na pożarcie lwom!

– Co za emocje! – krzyknął mężczyzna z farbowanymi włosami. – Chyba zemdleję!

– Byleś nie wpadł do tego dołu – ostrzegła go żona.

– Rozwijam drugie zagięcie karteczki! – grzmiał Hrabia Olaf. – Zostały już tylko cztery!

Lwy porykiwały niecierpliwie, jakby miały już dość tych bzdur z karteczkami, ale publiczność była zachwycona stopniowaniem napięcia i nie zwracała uwagi na rozjuszone bestie, tylko wpatrywała się z uwielbieniem w Hrabiego Olafa, który uśmiechał się i rozsyłał całusy na wszystkie strony. Za to Baudelaire'owie nie patrzyli już ponad głowami widzów na to, jak Olaf uprawia swoją hochsztaplerkę, czyli „stopniuje napięcie, rozwijając powoli papierek z imieniem osoby, która ma zostać rzucona na pożarcie lwom". Skorzystali z tego, że chwilowo nikt ich nie obserwuje, i przysunęli się do siebie, aby móc bezpiecznie porozmawiać.

– Myślisz, że udałoby nam się przemknąć chyłkiem do wagoników? – mruknął Klaus do siostry.

– Moim zdaniem tłum jest za gęsty – oceniła Wiolctka. – A czy twoim zdaniem możemy zrobić coś, żeby lwy nikogo nie zjadły?

– Moim zdaniem są zbyt wygłodzone – odparł Klaus, mrużąc oczy, by lepiej widzieć ryczące lwy. – Czytałem, że duże zwierzęta z rodziny kotów zjedzą wszystko, jeśli są bardzo głodne.

– A nie czytałeś o lwach czegoś takiego, co mogłoby nam pomóc? – spytała Wioletka.

– Nie przypominam sobie – stwierdził Klaus. – A czy z paska klinowego da się zrobić jeszcze coś, co może nam pomóc?

– Nie sądzę – odparła Wioletka głosem zamierającym ze strachu.

– Deżawiu! – pisnęło rozpaczliwie Słoneczko, patrząc w górę na brata i siostrę. Komunikowało w ten sposób coś w sensie: „Musimy znaleźć jakieś wyjście. Zawsze dotąd uciekaliśmy przed krwiożerczym tłumem!".

– Słoneczko ma rację – przyznał Klaus. – W Szpitalu Schnitzel nauczyliśmy się panować nad tłumem, odwlekając operację, którą Olaf kazał na tobie przeprowadzić.

– A w Wiosce Zakrakanych Skrzydlaków – przypomniała sobie Wioletka – poznaliśmy psychologię tłumu, obserwując obywateli, którzy z zamieszania całkiem potracili głowy. Ale co możemy zrobić z tym tłumem? Co można zrobić teraz?

– Oba! – mruknęło Słoneczko i pospiesznie warknęło, na wypadek gdyby ktoś podsłuchiwał.

– Rozwinąłem następne zagięcie! – obwieścił Hrabia Olaf, i z pewnością nie muszę dodawać, że poinformował publiczność o tym, iż zostały jeszcze tylko trzy zagięcia, na co tłum odpowiedział wiwatami, zupełnie jakby Hrabia Olaf popisał się szczególną odwagą lub szlachetnością. Zapewne nie muszę też dodawać, że i trzy pozostałe zagięcia rozwinął Olaf z wielką pompą i paradą, jakby dokonywał nadzwyczajnych rzeczy, i że za każdym razem tłum wznosił wiwaty, nie mogąc się doczekać scen gwałtu połączonych z niechlujnym jedzeniem. Prawdopodobnie nie muszę nawet dodawać, co było napisane na karteczce, bo jeśli doczytaliście tę mrożącą krew w żyłach opowieść aż dotąd, to sami wiecie, jakie garbate szczęście mają w życiu sieroty Baudelaire. Ktoś, kto ma normalne szczęście, przyjeżdża zwykle do wesołego miasteczka wygodnym środkiem transportu, na przykład piętrowym autokarem, albo na słoniu, i spędza tam mile czas, korzystając ze wszystkich dostępnych atrakcji, a na koniec jest wesół i zadowolony z pobytu. Baudelaire'owie natomiast przybyli na teren Karnawału Kaligariego w bagażniku samochodu, z konieczności przebrani w niewygodne kostiumy i narażeni na wiele niebezpieczeństw, uczestniczyli w upokarzających widowiskach, a i tak – przez to swoje garbate szczęście – nie znaleźli informacji, którą mieli nadzieję uzyskać. Dlatego nie zdziwi was zapewne, że to nie imię Hugona figurowało na karteczce, którą dzierżył w dłoni Hrabia Olaf, i nie było to imię Colette, ani Kevina, który nerwowo zaciskał identycznie sprawne ręce, patrząc, jak Olaf rozwija los do końca. Nie zdziwi was też, że gdy Hrabia Olaf odczytał treść karteczki, oczy całego tłumu zwróciły się na przebrane sieroty Baudelaire. Ale chociaż nie zdziwi was obwieszczenie Hrabiego Olafa, może was zdziwić oświadczenie, które złożyło tuż potem jedno z Baudelaire'ów.

– Panie i panowie! – obwieścił Hrabia Olaf. – Dziś na pożarcie lwom zostanie rzucony dwugłowy dziwoląg Beverly-Eliot!

– Panie i panowie! – oświadczyła Wioletka Baudelaire. – To dla nas wielki zaszczyt.

ROZDZIAŁ

Jedenasty

Wiem o jeszcze jednym pisarzu, który, podobnie jak ja, uważany jest powszechnie za zmarłego. Nazywa się on William Shakespeare i jest autorem sztuk teatralnych czterech rodzajów: komedii, dramatów miłosnych, sztuk historycznych i tragedii. Komedie, oczywiście, to takie sztuki, w których bohaterowie opowiadają dowcipy i potykają się o byle co, a dramaty miłosne to takie sztuki, w których bohaterowie zakochują się w sobie i na koniec biorą ślub. Sztuki

historyczne przedstawiają prawdziwe zdarzenia z przeszłości, takie jak moja historia sierot Baudelaire, a tragedie zaczynają się zwykle w miarę szczęśliwie, ale potem jest coraz gorzej, aż dochodzi do tego, że wszyscy bohaterowie są zabici, ranni albo w inny sposób poszkodowani. Oglądanie tragedii to nic wesołego, czy się jest widzem na widowni, czy aktorem na scenie, a ze wszystkich tragedii Shakespeare'a chyba najmniej wesoły jest *Król Lear* – sztuka, w której król wariuje, a jego córki mordują się nawzajem, zabijając po drodze inne osoby, które działały im na nerwy. W akcie czwartym tej sztuki jeden z bohaterów przewiduje proroczo, że „jak monstra w otchłaniach, ludzkość pożerać zacznie samą siebie"* – co tutaj znaczy: „to wielka szkoda, że ludzie krzywdzą się nawzajem, jakby byli krwiożerczymi potworami z głębin morza". Gdy postać w sztuce Shakespeare'a wypowiada na scenie te słowa, publiczność najczęściej płacze,

* tłum. Stanisław Barańczak

wzdycha albo postanawia sobie, że następnym razem pójdzie do teatru na komedię.

Z przykrością informuję was, że w naszej opowieści przyszła pora na zapożyczenie tego dość nieprzyjemnego zdania od pana Shakespeare'a, gdyż oddaje ono doskonale stan ducha sierot Baudelaire, które stojąc na krawędzi dołu z lwami zwróciły się do tłumu, usiłując kontynuować historię, w której się znalazły, bez obracania jej w tragedię, chociaż nie ulegało wątpliwości, że zgromadzeni ludzie są wielkimi zwolennikami krzywdzenia się nawzajem i nie mogą się wprost tego doczekać. Hrabia Olaf i jego kompani nie mogli się doczekać, aż Wioletka z Klausem skoczą w dół na krwawą śmierć, dzięki czemu Karnawał Kaligariego zyska na popularności, a Madame Lulu będzie dalej przepowiadała Olafowi przyszłość. Esmeralda Szpetna nie mogła się doczekać, aż ktoś zepchnie do dołu Madame Lulu, dzięki czemu będzie miała Olafa tylko dla siebie. Współpracownicy Baudelaire'ów też nie mogli się tego doczekać, bo chcieli wstąpić do trupy Hrabiego Olafa. Reporterka „Dziennika Punctilio" i reszta publiczności nie mogli się doczekać scen gwałtu i niechlujnego jedzenia, bo dopiero wtedy poczuliby, że warto było przyjeżdżać do wesołego miasteczka. Lwy natomiast nie mogły się doczekać posiłku, zamiast którego przez tak długi czas otrzymywały tylko chłostę pejczem. Wyglądało na to, że wszyscy zgromadzeni tego popołudnia pod kolejką górską czekają z utęsknieniem na coś okropnego, więc Wioletka z Klausem czuli się okropnie, patrząc na deskę nad dołem z lwami i udając, że również nie mogą się tego doczekać.

– Serdecznie dziękuję Hrabiemu Olafowi za wylosowanie mojej drugiej głowy i mnie na pierwszą ofiarę pokazu lwów – przemówił uroczyście Klaus swoim przebranym, piskliwym głosem.

– Ależ proszę, proszę – odparł Hrabia Olaf, nieco zdziwiony przemówieniem. – A teraz hop do dziury, bo wszyscy chcemy zobaczyć, jak lwy was pożerają.

– Właśnie, szybciej! – poparł go pryszczaty. – Niech wiem, po co tu przyjechałem!

– A nie wolałby pan zamiast patrzeć, jak ktoś skacze do dołu, zobaczyć, jak ktoś wpycha do dołu kogoś innego? – spytała szybciutko Wioletka. – To by była o wiele brutalniejsza scena gwałtu.

– Wrr! – warknęło Słoneczko, wyrażając przebrane poparcie dla słów siostry.

– Niezła myśl – zaciekawiła się jedna z bladolicych.

– Tak, tak! – wykrzyknęła dama z farbowanymi włosami. – Niech ktoś zepchnie dwugłowego dziwoląga lwom na pożarcie!

– Zgadzam się – powiedziała Esmeralda, mierząc morderczym wzrokiem dwoje starszych Baudelaire'ów, a potem Madame Lulu. – Zgadzam się, żeby ofiara została zepchnięta do dołu z lwami.

Tłum zaczął wiwatować i klaskać. Słoneczko z niepokojem obserwowało brata i siostrę, którzy dali następny krok w stronę deski, zawieszonej nad dołem, gdzie już czekały zgłodniałe lwy.

Każdy nudziarz powie wam, że w trudnej sytuacji należy zatrzymać się i pomyśleć, co najlepiej zrobić, ale sieroty Baudelaire od początku wiedziały, że najlepiej byłoby rzucić się do wagoników kolejki górskiej, zamontować pasek klinowy i zwiać w te pędy z uroczyska, razem z Madame Lulu i jej archiwum, wyjaśniwszy wpierw spokojnie publiczności, że brutalne sceny gwałtu nie są godziwą rozrywką, a Hrabia Olaf i jego trupa powinni zostać natychmiast aresztowani. Ale tak się już zdarza na tym pandemonicznym świecie, że chociaż łatwo jest wymyślić, co najlepiej zrobić, to zrobienie tego może się zwyczajnie okazać niemożliwe – i wtedy trzeba zrobić coś innego. Stojąc w przebraniu pośród tłumu żądnego scen gwałtu i niechlujnego jedzenia, sieroty Baudelaire zrozumiały, że nie mogą chwilowo uczynić tego, co najlepsze – mogą jednak spróbować doprowadzić tłum do takiego podniecenia i zamieszania, które pozwoli im czmychnąć niepostrzeżenie. Wioletka, Klaus i Słoneczko nie byli pewni, czy słuszne będzie w tej sytuacji zastosowanie technik opóźniania i znajomości psychologii tłumu, ale nie przychodziło im na myśl nic innego. Zresztą, słusznie czy nie, ich metoda wydawała się już odnosić skutki.

– Co za emocje! – entuzjazmowała się reporterka. – Już widzę ten nagłówek: „DZIWOLĄGI RZUCONE LWOM NA POŻARCIE!". Czytelnicy „Dziennika Punctilio" będą zachwyceni!

Słoneczko zawarczało najgroźniej, jak mogło i wskazało paluszkiem Hrabiego Olafa.

– Czabo swoim wilkołackim językiem komunikuje, że to Hrabia Olaf powinien zepchnąć nas do lwów. To w końcu jego pomysł, ten cały pokaz – powiedział Klaus.

– Racja! – poparł go pryszczaty. – Niech Olaf zepchnie Beverly-Eliota do dołu!

Hrabia Olaf wykrzywił się szpetnie do Baudelaire'ów, ale zaraz znów szczerzył się do publiczności, demonstrując garnitur popsutych zębów.

– To dla mnie wielki honor – skłonił się zdawkowo – ale nie sądzę, abym mógł spełnić prośbę państwa.

– A to dlaczego? – zaatakowała go kobieta z farbowanymi włosami.

Hrabia Olaf zawahał się chwilę, po czym wydał krótki, piskliwy odgłos, równie sztuczny jak warczenie Słoneczka.

– Bo mam uczulenie na koty – wyjaśnił. – Słyszą państwo? Już kicham, a nie wszedłem nawet na deskę.

– Alergia jakoś panu nie dokuczała, kiedy bił pan lwy pejczem – zauważyła Wioletka.

– No właśnie – dodał hakoręki. – Nie wiedziałem, Olafie, że jesteś alergikiem.

Hrabia Olaf spiorunował go wzrokiem.

– Panie i panowie! – zaczął znowu, ale tłum miał już dość jego przemówień.

– Spychaj dziwadła, Olaf! – wrzasnął ktoś z widzów, a reszta poparła go wiwatami.

Hrabia Olaf zmarszczył brwi, ale złapał Klausa za rękę i wprowadził dwoje starszych Baudelaire'ów na deskę. Tłum ryczał dookoła nich, a lwy spod spodu. Baudelaire'owie widzieli wyraźnie, że Hrabia Olaf ma nie większą ochotę zbliżyć się jeszcze bardziej do zgłodniałych lwów niż oni sami.

– Spychanie ludzi do dołów to nie moja specjalność – zwrócił się nerwowo Olaf do publiczności. – Z zawodu jestem aktorem.

– Mam pomysł! – odezwała się nagle słodkim głosem Esmeralda. – Madame Lulu, może pani wejdzie na deskę i zepchnie do śmiertelnej pułapki swojego dziwoląga?

– To też nie mój specjalność, proszę – zaprotestowała Madame Lulu, patrząc z zażenowaniem na dzieci. – Ja wróżka, nie spychaczka dziwolągi.

– Ależ po co ta skromność, Madame Lulu? – uśmiechnął się krwiożerczo Hrabia Olaf. – Co prawda to ja wymyśliłem pokaz z lwami, ale pani jest najważniejszą osobą w wesołym miasteczku. Proszę zająć moje miejsce na desce i popatrzmy wreszcie, jak spycha się ofiarę na śmierć.

– Co za szlachetna propozycja! – zachwyciła się reporterka. – Jaki pan wspaniałomyślny, Hrabio Olafie!

– Niech Madame Lulu zepchnie Beverly-Eliota do dołu! – krzyknął pryszczaty, a tłum znów zawiwatował.

Psychologia tłumu najwyraźniej działała, bo publiczność tym łatwiej zmieniała zdanie, im większy był jej entuzjazm. Wróżkę, która niechętnie zastąpiła na desce Hrabiego Olafa, powitała gromka burza oklasków. Deska zachybotała się pod ciężarem tylu osób i Baudelaire'owie z trudem utrzymali równowagę. Tłum wstrzymał oddech patrząc na to, a potem wydał jęk rozczarowania, gdy przebrane dzieci jednak nie spadły.

– Co za emocje! – piszczała reporterka. – Może Madame Lulu też zleci!

– Właśnie! Oby! – zawtórowała jej Esmeralda.

– Mnie już wszystko jedno, kto tam zleci! – oświadczył pryszczaty. Zniechęcony opóźniającym się pokazem scen gwałtu i niechlujnego jedzenia, cisnął do dołu papierowy kubek z napojem chłodzącym, opryskując kilka lwów, które ryknęły z oburzenia. – Dla mnie ta baba w turbanie jest takim samym dziwolągiem, jak ten z dwiema głowami. Nie mam uprzedzeń!

– Ja też nie! – poparła go osoba w czapce z napisem KARNAWAŁ KALIGARIEGO. – Niech się już wreszcie zacznie ten pokaz! Mam nadzieję, że Madame Lulu starczy odwagi, żeby zepchnąć tego dziwoląga do dołu!

– Odwaga nie ma tu nic do rzeczy – zachichotał łysy. – Każdy zrobi to, co musi. Jakie mają inne wyjście?

Wioletka z Klausem stali już na samym końcu deski i usilnie szukali odpowiedzi na pytanie łysego. Pod nimi kłębiły się zgłodniałe lwy, tak ciasno stłoczone pod deską, że wyglądały jak jedna zbita masa kłów i pazurów, a dookoła ryczał tłum rozentuzjazmowanej, roześmianej publiczności. Baudelaire'om udało się, jak widać, doprowadzić tłum do wielkiego podniecenia, jednak nie znaleźli jeszcze okazji, aby czmychnąć niepostrzeżenie, korzystając z zamieszania. Coraz mniej zanosiło się na to, że szczęśliwa okazja zapuka do ich drzwi. Wioletka z trudem odwróciła głowę, aby spojrzeć bratu w oczy, Klaus zerknął na nią zezem – a Słoneczko dostrzegło, że oboje mają łzy w oczach.

– Chyba koniec z naszym szczęściem – powiedziała Wioletka.

– Głowy, nie gadać tam! – skarcił ją groźnie Hrabia Olaf. – Madame Lulu, proszę zepchnąć dziwoląga w tej chwili!

– My tylko stopniujemy napięcie! – krzyknął desperacko Klaus.

– Nie trzeba. Napięcie już sięgnęło szczytu – odparł niecierpliwie pryszczaty. – Dosyć mam tego sterczenia!

– Ja też! – zawołała dama z farbowanymi włosami.

– Ja też! – zawrótował jej osobnik stojący obok. – Olaf! Przylej no pejczem tej Madame Lulu! Niech się nie guzdrze!

– Jedna moment, proszę! – powiedziała Madame Lulu, posuwając się o krok w stronę Wioletki i Klausa. Deska znów się zachybotała, a lwy ryknęły, czując, że obiad blisko. Madame Lulu spojrzała z rozpaczą na starszych Baudelaire'ów i nieznacznie wzruszyła ramionami pod połyskliwą szatą.

– Dość tego! – zniecierpliwił się hakoręki, ruszając ku nim. – Sam ich zepchnę. Widzę, że ja jeden mam odwagę to zrobić!

– Bynajmniej – zaprzeczył Hugo. – Ja też mam odwagę, i Colette, i Kevin tak samo.

– Odważne dziwolągi? – zarechotał hakoręki. – Chyba żartujecie!

– My naprawdę jesteśmy odważni – obwieścił Hugo. – Hrabio Olafie, chcemy to panu udowodnić, żeby zatrudnił nas pan u siebie.

– Zatrudnił? Was? – zdumiał się Olaf.

– Co za świetny pomysł! – zawołała Esmeralda, jakby nie ona to wymyśliła.

– Tak – potwierdziła Colette. – Chcielibyśmy zmienić pracę, a to jest dla nas wspaniała okazja.

Kevin wystąpił naprzód, pokazując obie ręce.

– Wiem, że jestem dziwolągiem – zwrócił się do Olafa – ale przydam się panu nie gorzej niż pan hakoręki albo pan łysy.

– Co takiego? – nasrożył się łysy. – Taki dziwoląg miałby równać się ze mną? Nie bądź pan śmieszny!

– Owszem, mogę się przydać – powiedział Kevin. – Zaraz pan zobaczy.

– Dość tej gadki! – zniecierpliwił się pryszczaty. – Nie po to przyjechałem do wesołego miasteczka, żeby słuchać cudzych rozmów o pracy.

– To mnie rozprasza, i moją drugą głowę też – przemówiła przebranym basem Wioletka. – Zejdźmy z deski i porozmawiajmy spokojnie.

– Nie chce mi się rozmawiać spokojnie! – zaprotestowała dama z farbowanymi włosami. – Spokojnie to ja sobie mogę rozmawiać w domu!

– Właśnie! – poparła ją reporterka „Dziennika Punctilio". – Co to za nagłówek: „LUDZIE ROZMAWIAJĄ SPOKOJNIE"? Nudy na pudy! Wrzućcie byle kogo do tych lwów i dajcie ludziom, czego chcą!

– Madame Lulu da! – obwieściła gromko Madame Lulu i chwyciła za kołnierz koszuli Baudelaire'ów. Klaus z Wioletką podnieśli na nią wzrok i dostrzegli łzę w jednym oku fałszywej wróżki. Madame Lulu nachyliła się do nich i mruknęła:

– Przepraszam, Baudelaire'owie.

Wymówiła to cicho, bez śladu akcentu, a jednocześnie odebrała Wioletce pasek klinowy.

Słoneczko tak się przejęło, że zapomniało warczeć.

– Drajca! – pisnęło, komunikując coś w sensie: „Powinna się pani wstydzić!".

Ale fałszywa wróżka, nawet jeśli się wstydziła, nie okazała tego po sobie.

– Madame Lulu zawsze mówi daj ludziom, czego chcą! – oświadczyła dumnie przebranym głosem. – Madame Lulu pcha, proszę, i to już!

– Wolne żarty! – powstrzymał ją Hugo. – Ja to zrobię!

– Sam chyba żartujesz! – skarciła go Colette, wykręcając się fantazyjnie w stronę Lulu. – Ja to zrobię!

– Nie! Ja to zrobię! – wrzasnął Kevin. – Obiema rękami!

– Ja to zrobię! – zagrzmiał łysy, zastępując drogę Kevinowi. – Nie życzę sobie pracować z dziwolągami!

– Ja to zrobię! – krzyknął hakoręki.

– Ja to zrobię! – wyrwała się jedna z bladolicych.

– Ja to zrobię! – zawtórowała jej druga.

– Ja znajdę kogoś, kto to zrobi! – przekrzykiwała je Esmeralda Szpetna.

Hrabia Olaf sięgnął po pejcz i strzelił nim głośno nad głowami tłumu. Na to wszyscy położyli uszy po sobie, co tu oznacza: „skulili się i pochowali głowy w ramiona, żeby nie oberwać pejczem".

– Cisza! – ryknął groźnie Hrabia Olaf. – Jak wam nie wstyd! Kłócicie się jak banda smarkaczy! Żądam, aby w tej chwili lwy zaczęły kogoś pożerać, a kto ma dość odwagi, aby spełnić moje żądanie, ten dostanie specjalną nagrodę!

Przemówienie to było, oczywiście, kolejnym przykładem nudnej Olafowej filozofii kija i marchewki, wedle której uparty osioł idzie tam, gdzie mu każemy, dopóki machać mu przed nosem marchewką. Mimo to obietnica nagrody zwiększyła podniecenie publiczności do ostatnich granic. W jednej chwili tłum widzów wesołego miasteczka stał się tłumem ochotników, gotowych rzucić kogokolwiek na pożarcie lwom. Hugo już-już miał wepchnąć Madame Lulu, ale wpadł na skrzynkę z losami, którą trzymały dwie bladolice, i razem z nimi runął jak długi na sam skraj dołu. Hakoręki już miał ucapić Wioletkę i Klausa, ale zaczepił jednym hakiem o kabel mikrofonu reporterki i zaplątał się w nim beznadziejnie. Colette już wyciągnęła ekwilibrystyczne ramiona, żeby złapać Lulu za nogi, ale przez pomyłkę złapała za nogi Esmeraldę Szpetną i jednym elastycznym ramieniem owinęła ciasno jej modny but. Dama z farbowanymi włosami też postanowiła spróbować szczęścia i zamachnęła się, żeby popchnąć Baudelaire'ów – ci jednak zrobili unik i dama wpadła z rozpędu na własnego męża, który niechcący klepnął w twarz pryszczatego, po czym wszyscy troje zaczęli się okropnie kłócić. Do ich kłótni włączyło się parę osób stojących obok i każdy zaczął wrzeszczeć na każdego. Baudelaire'owie znaleźli się nagle w samym centrum skłębionej, wściekłej ludzkiej masy, która wrzeszczała i okładała się nawzajem, całkiem jak potwory z głębin morskich, a lwy ryczały wściekle ze swojego dołu.

Wtem jednak z dołu rozległ się inny odgłos, znacznie gorszy od ryku bestii – straszny chrzęst i rwanie na strzępy. Tłum natychmiast przestał się kłócić, ciekaw, co też się tam wydarzyło, ale Baudelaire'owie wcale nie byli tego ciekawi, więc odsunęli się jak najdalej od strasznych odgłosów i skulili razem, zamykając ciasno oczy. Mimo to nadal słyszeli z głębi dołu przerażające dźwięki, których nie zagłuszały nawet śmiechy i wiwaty zgromadzonej nad wykopem publiczności. Dzieci odwróciły się więc od tłumu i wciąż nie otwierając oczu, czmychnęły niepostrzeżenie, korzystając z zamieszania. Przez jakiś czas potykały się o wiwatującą publiczność, ale w końcu stanęły na bezpiecznym gruncie, co tutaj znaczy:

„dość daleko od kolejki górskiej, żeby nie widzieć ani nie słyszeć, co się tam dzieje".

Oczywiście, doskonale wyobrażały sobie, co się tam dzieje, tak jak i ja to sobie wyobrażam, chociaż nie byłem na miejscu w czasie wypadku, a tylko czytałem relacje z wydarzeń w wesołym miasteczku. Artykuł zamieszczony w „Dzienniku Punctilio" informował, że pierwsza wpadła do dołu Madame Lulu, ale w prasie często zdarzają się nieścisłości, więc nie wiadomo, czy można temu wierzyć. Być może Lulu wpadła pierwsza, a łysy po niej, ale być też może, że Lulu wepchnęła łysego, usiłując mu się wyrwać, a potem sama poślizgnęła się na desce i spadła. A może mocowali się na desce, deska się zachybotała i lwy dopadły ich oboje jednocześnie. Prawdopodobnie nigdy tego nie ustalę, tak jak zapewne nigdy nie dowiem się, gdzie jest pasek klinowy, choćbym nie wiem ile razy odwiedzał w tym celu Karnawał Kaligariego. Początkowo myślałem, że Madame Lulu upuściła gumowy pasek nad krawędzią dołu, ale przekopałem cały teren z latarką w ręku i nie znalazłem nic. Także nikt z widzów, których domy starannie zrewidowałem, nie wziął go sobie na pamiątkę. Potem przyjąłem hipotezę, że w czasie zamieszania pasek klinowy wyleciał w powietrze i zawisł na torach kolejki górskiej, ale przegramoliłem się przez nie cal po calu – i też bez skutku. Istnieje jeszcze możliwość, że pasek się spalił, z tym że w urządzeniach do produkcji błyskawic używa się gumy wyjątkowo trudno palnej, więc jest to raczej mało prawdopodobne. Tak więc przyznać muszę, że nie wiem, gdzie znajduje się pasek klinowy, tak jak nie wiem, kto wpadł pierwszy do dołu z lwami – Madame Lulu czy łysy. Być może nigdy nie uzyskam tych informacji. Wyobrażam sobie jednak, że nasz gumowy pasek skończył tam, gdzie kobieta, która go wymontowała z urządzenia do produkcji błyskawic, aby dać go sierotom Baudelaire, a potem zaraz odebrać – a więc i tam, gdzie wylądował kompan Olafa, któremu tak bardzo zależało na nagrodzie specjalnej. Gdy zamknę oczy – tak jak sieroty Baudelaire, kiedy uciekały na oślep z kolejnej sceny niefortunnych zdarzeń – widzę w wyobraźni pasek klinowy, łysego i moją byłą koleżankę Oliwię, na dnie dołu wykopanego przez Olafa i jego obwiesiów, w brzuchach krwiożerczych bestii.

ROZDZIAŁ

Dwunasty

Gdy sieroty Baudelaire otworzyły wreszcie oczy, stwierdziły, że zabrnęły po omacku aż pod namiot wróżki. Znad wejścia łypały na nich inicjały WZS. Większość gości wesołego miasteczka bawiła jeszcze na pokazie lwów, więc dzieci znów stały same o zmierzchu przed namiotem wróżki, bez opieki osoby dorosłej, drżące i popłakujące z cicha. Poprzednim razem stały tu tak długo, aż szyld nad wejściem zaczął pod ich bacznym spojrzeniem zmieniać kształty, ujawniając, że wcale nie przedstawia wizerunku oka, tylko insygnia organizacji, która mogłaby pomóc Baudelaire'om. Dlatego i tym razem wpatrywali się w szyld namiotu, z nadzieją, że pod ich bacznym spojrzeniem ujawni on, co powinni teraz zrobić. Jednak nic się nie zmieniało, chociaż bardzo wytężali wzrok. Wesołe miasteczko ucichło, popołudnie zmierzało leniwie ku wieczorowi, a insygnia na szyldzie namiotu wróżki łypały tak jak przedtem na zapłakanych Baudelaire'ów.

– Ciekawe, gdzie się podział pasek klinowy – odezwała się w końcu Wioletka. Powiedziała to cicho i z lekką chrypką, ale dzięki temu, że przemówiła, nareszcie przestała płakać. – Ciekawe, czy upadł na ziemię, czy poleciał w górę na tory kolejki górskiej, czy może skończył w...

– Jak możesz w takiej chwili myśleć o pasku klinowym? – obruszył się Klaus, choć jego głos nie zdradzał złości. Podobnie jak siostra, trząsł się nadal we wspólnej koszuli i czuł się bardzo osłabiony, jak to często bywa po dłuższym płaczu.

– Wolę nie myśleć o niczym innym – odparła Wioletka. – Wolę nie myśleć o Madame Lulu i o lwach, ani o Hrabim Olafie i publiczności, ani o tym, czy postąpiliśmy słusznie.

– Suśnie – zapewniło ją czule Słoneczko.

– Zgadzam się – poparł je Klaus. – Postąpiliśmy najsłuszniej, jak się dało.

– Nie jestem taka pewna – rzekła Wioletka. – Miałam już w ręku pasek klinowy. Tak mało brakowało, żeby dokończyć wynalazek i uciec z tego okropnego miejsca.

– Nie miałaś szans dokończyć wynalazku – zauważył Klaus. – Otaczał nas tłum ludzi, domagających się, aby rzucono kogoś na pożarcie lwom. To nie nasza wina, że wpadła tam w końcu Madame Lulu.

– I łysy – dodało Słoneczko.

– Ale to my wprawiliśmy publiczność w jeszcze większe podniecenie – wyrzucała sobie Wioletka. – Najpierw opóźnialiśmy pokaz, a potem, wykorzystując znajomość psychologii tłumu, wywołaliśmy histeryczną awanturę o to, kogo strącić do dołu.

– Autorem tego koszmarnego pomysłu był Hrabia Olaf – przypomniał jej Klaus. – To, co stało się z Madame Lulu, jest tylko jego winą.

– Obiecaliśmy, że weźmiemy ją z sobą – upierała się Wioletka. – Madame Lulu dotrzymała swojej obietnicy i nie powiedziała Hrabiemu Olafowi, kim naprawdę jesteśmy, a my złamaliśmy dane jej słowo.

– Przecież próbowaliśmy go dotrzymać – powiedział Klaus.

– Próbować to za mało – odparła Wioletka. – Wystarczy ci, że będziemy próbowali znaleźć jedno z rodziców? Albo że będziemy próbowali pokonać Hrabiego Olafa?

– Tak – stwierdziło kategorycznie Słoneczko i objęło Wioletkę za nogę. Najstarsza z Baudelaire'ów spojrzała z góry na siostrzyczkę i łzy stanęły jej w oczach.

– Co my tutaj robimy? – spytała żałośnie. – Myśleliśmy, że w przebraniu łatwiej pozbędziemy się kłopotów, a tymczasem wpakowaliśmy się gorzej niż kiedykolwiek. Nie wiemy, co oznacza WZS. Nie wiemy, gdzie znajdują się akta Snicketa. Nie wiemy, czy któreś z naszych rodziców naprawdę żyje.

– To, że pewnych rzeczy na razie nie wiemy – zauważył Klaus – nie znaczy wcale, że musimy się poddać. Przecież jeszcze możemy się dowiedzieć tego, czego nie wiemy. Wszystkiego można się dowiedzieć.

Wioletka uśmiechnęła się przez łzy.

– Mówisz jak naukowiec – chlipnęła.

Klaus sięgnął do kieszeni i wydobył okulary.

– Jestem naukowcem – oświadczył, dając krok w stronę wejścia do namiotu. – Przystąpmy do badań.

– Gede! – pisnęło Słoneczko, komunikując coś w sensie: „Omal nie zapomniałam o archiwum!", i pospieszyło za starszym rodzeństwem do namiotu.

Ledwie tam weszli, zauważyli, że Madame Lulu poczyniła pewne przygotowania do ucieczki. Zrobiło im się bardzo smutno, że fałszywa wróżka już nie wróci do namiotu po rzeczy, które chciała zabrać z sobą. Spakowany kufer z podręcznym zestawem kamuflażu czekał przy wyjściu, koło kredensu stało kartonowe pudło pełne prowiantów na drogę, a na stoliku, obok zastępczej kryształowej kuli i różnych części rozmontowanego urządzenia do produkcji błyskawic, leżała sporych rozmiarów kartka, mocno podarta i z wyglądu bardzo stara – mimo to Baudelaire'owie z daleka poznali, że ta kartka może im bardzo pomóc.

– To mapa – stwierdziła Wioletka. – Mapa Gór Grozy. Madame Lulu musiała ją mieć w swoich papierach.

Klaus włożył okulary i przyjrzał się mapie uważnie.

– W tych górach musi być bardzo zimno o tej porze roku – powiedział. – Nie wiedziałem, że są takie wysokie.

– Mniejsza o wysokość – zbagatelizowała sprawę Wioletka. – Nie widzisz gdzieś kwatery, o której wspominała Lulu?

– Przyjrzyjmy się – rzekł Klaus. – Jest jakaś gwiazdka koło Pechowej Przełęczy, ale z legendy mapy wynika, że gwiazdka oznacza kemping.

– Legendy? – zaciekawiło się Słoneczko.

– Tak się nazywa ta ramka w rogu mapy – wyjaśnił Klaus. – O, widzisz? Tu kartograf opisał, co który symbol oznacza, a dzięki symbolom mapa jest bardziej przejrzysta.

– Widzę czarny kwadracik pod Wisielczym Wierchem – powiedziała Wioletka. – O, tutaj, bardziej na wschód, widzisz?

– Czarny kwadracik oznacza niedźwiedzią gawrę – odcyfrował Klaus. – Jak widzę, jest ich tam niemało, patrz – pięć kwadracików w pobliżu Stęchłego Stawu, a wyżej, pod samym szczytem Trupiej Turni, jeszcze więcej.

– I tutaj, gdzie ta plama, pod Wielkim Zawianym Szczytem – zauważyła Wioletka. – Madame Lulu chyba chlapnęła tu kawą.

– Wielki Zawiany Szczyt! – powtórzył Klaus.

– Wy! Zy! Sy! – krzyknęło Słoneczko.

Baudelaire'owie przyjrzeli się pospołu plamie na mapie. Wielki Zawiany Szczyt znajdował się w najwyższych i zapewne najzimniejszych partiach Gór Grozy. Z jego podnóży wypływał w dolinę Podły Potok, zdążający dalej bagnistymi meandrami przez całe uroczysko, aż do morza. W okolicy Wielkiego Zawianego Szczytu znajdowały się, sądząc z mapy, nader liczne gawry niedźwiedzi. Pośrodku doliny, gdzie zbiegały się szlaki z czterech przełęczy, widniała plama – przypuszczalnie po kawie rozlanej przez Madame Lulu – nie było tam jednak oznaczenia kwatery głównej ani żadnego innego obiektu.

– Uważasz, że ta nazwa coś oznacza? – spytała Wioletka. – Czy może to kolejny zbieg okoliczności, jak wszystkie nasze poprzednie wuzetesy?

– Jestem prawie pewien, że W w skrócie WZS oznacza „wolontariuszy" – odparł Klaus. – Słowo to pojawiło się w notesie Bagiennych, a poza tym użył go Jacques Snicket.

– Wejno? – odezwało się Słoneczko, komunikując: „Więc gdzie jeszcze może znajdować się kwatera główna? Na mapie nie ma więcej oznaczeń".

– Chyba że oznaczenie jest sekretne – zauważył Klaus i nachylił się nad mapą, żeby lepiej obejrzeć plamę. – Może to tylko plama – rzekł po chwili – a może sekretny znak. Może Madame Lulu chlapnęła tutaj kawą specjalnie, żeby tylko ona mogła znaleźć kwaterę główną.

– Nie ma rady, trzeba tam jechać i sprawdzić na miejscu – westchnęła Wioletka.

– Ale jak? Nie mamy przecież paska klinowego – powiedział Klaus.

– To, że paru drobiazgów nam brakuje, nie znaczy, że mamy się poddać – odparła Wioletka. – Skonstruuję coś innego.

– Mówisz jak prawdziwy wynalazca – pochwalił ją Klaus.

Wioletka uśmiechnęła się i wyjęła wstążkę z kieszeni.

– Bo jestem wynalazcą – powiedziała. – Rozejrzę się po okolicy, może znajdę coś innego, co nam się przyda. Klaus, ty poszperaj tymczasem w archiwum pod stolikiem.

– No to zdejmijmy ten wspólny kostium – zaproponował Klaus – bo w nim nie możemy robić dwóch rzeczy naraz.

– Ingredi – powiedziało Słoneczko, komunikując: „A ja tymczasem przeszukam prowiant i sprawdzę, czy mamy wszystko do przyrządzania posiłków".

– Dobry pomysł – pochwaliła Wioletka. – Tylko pospieszmy się, żeby nas ktoś tu nie przyłapał.

– A, tu jesteście! – rozległ się głos od wejścia do namiotu. Baudeliare'owie aż podskoczyli. Zanim się odwrócili, Wioletka schowała pospiesznie wstążkę do kieszeni, a Klaus zdjął okulary, żeby nie zdradzić się wobec przybyszów. Hrabia Olaf z Esmeraldą Szpetną stali objęci u wejścia do namiotu, zmęczeni, lecz szczęśliwi, jak rodzice, którzy po długim dniu wracają wreszcie z pracy, a nie jak niecny łotr z podstępną narzeczoną, którzy przychodzą do namiotu wróżki po kilkugodzinnych scenach gwałtu. Esmeralda Szpetna ściskała w dłoni bukiecik bluszczu, zapewne od narzeczonego, a Hrabia Olaf dzierżył płonącą pochodnię, świecącą równie jasno, jak jego złe oczy.

– Szukam was i szukam – powiedział. – Co wy tu robicie?

– Postanowiliśmy przyjąć do trupy wszystkie dziwolągi – oznajmiła Esmeralda. – Nawet was, chociaż nie popisaliście się odwagą na pokazie lwów.

– To bardzo uprzejmie z państwa strony – odparła bez wahania Wioletka – ale tacy tchórze jak my na nic wam się nie przydadzą w trupie.

– Przydadzą się, przydadzą – uspokoił ją Hrabia Olaf. – Stale tracimy asystentów, więc dobrze jest mieć parę sztuk w rezerwie. Proponowałem posadę nawet sprzedawczyni z kiosku z pamiątkami, ale ona tak się trzęsie o swoje figurki, że nie zauważyła okazji pukającej do jej drzwi.

– Zresztą – wtrąciła się Esmeralda, pieszczotliwie mierzwiąc włosy Olafowi – nie macie innego wyjścia. Postanowiliśmy podpalić wesołe miasteczko, żeby zatrzeć po sobie ślady. Większość namiotów już płonie, publiczność i pracownicy w panice rzucili się do ucieczki. Jeśli się do nas nie przyłączycie, to dokąd pójdziecie?

Baudelaire'owie spojrzeli po sobie z rezygnacją.

– Chyba ma pani rację – przyznał Klaus.

– Oczywiście, jak zawsze – wzruszyła ramionami Esmeralda. – A teraz wynoście się, bo chcemy spakować kufer.

– Chwileczkę – powstrzymał ją Hrabia Olaf, podchodząc do stołu. – Co to jest? Wygląda na mapę.

– To jest mapa – potwierdził Klaus i westchnął z żalu, że nie schował mapy do kieszeni. – Mapa Gór Grozy.

– Gór Grozy? – uradował się Hrabia Olaf, nie odrywając wzroku od mapy. – A my właśnie się tam wybieramy! Lulu mówiła, że o ile jakiś rodzic przeżył kataklizm, to ukrywa się właśnie tam! Nie ma tu gdzieś oznaczonej kwatery głównej?

– Moim zdaniem, te czarne kwadraciki oznaczają kwatery główne – stwierdziła Esmeralda. – Znam się dość dobrze na mapach.

– Gdzie tam, to kempingi! – burknął Olaf, sprawdzając legendę. Zaraz jednak rozpromienił się w uśmiechu. – A to ci dopiero! – rzekł, wskazując plamę, którą badali Baudelaire'owie. – Od dawna nigdzie tego nie widziałem – dodał, drapiąc się po nieogolonej brodzie.

– Brązowa plamka? – skrzywiła się Esmeralda. – Taką samą widziałeś dzisiaj rano.

– Ta jest zaszyfrowana – wyjaśnił Hrabia Olaf. – Mnie też w dzieciństwie nauczono robić takie plamy na mapie. Oznaczamy nimi sekretne miejsca tak, by nikt obcy się nie zorientował.

– Chyba że jest niespotykanym geniuszem – dokończyła Esmeralda. – A więc spodziewam się, że jedziemy pod Wielki Zawiany Szczyt?

– Wu Zet eS – zachichotał Hrabia Olaf. – Co za zbieg okoliczności. No to jedźmy. Jest tu coś, co mogłoby nam się przydać?

Baudelaire'owie zerknęli ukradkiem na stolik, pod którym ukryte było archiwum. Pod czarną serwetą w srebrne gwiazdki mieścił się cały bank informacji, z którego czerpała Madame Lulu, aby każdemu klientowi dawać to, czego chce. Dzieci wiedziały, że archiwum skrywać może ważne sekrety, i drżały na myśl o tym, że Hrabia Olaf mógłby je wszystkie odkryć i wykorzystać.

– Nie – rzekł po chwili Klaus. – Nic tu takiego nie ma.

Hrabia Olaf zmarszczył brew i przyklęknął, przysuwając twarz tuż do twarzy Klausa. Nawet bez okularów średni przedstawiciel rodzeństwa Baudelaire dostrzegł, że brew Olafa była od dłuższego czasu niemyta, nie mówiąc o tym, że czuć mu było z ust.

– Coś mi się zdaje, że ktoś tu kłamie – wycedził łotr, przysuwając płonącą pochodnię pod sam nos Klausa.

– Moja druga głowa mówi prawdę – zapewniła go Wioletka.

– W takim razie co tu robi to żarcie? – nasrożył się Hrabia Olaf, wskazując pudło z prowiantem. – Waszym zdaniem żywność nie przydaje się w długiej podróży?

Baudelaire'owie westchnęli z ulgą.

– Wrr! – warknęło Słoneczko.

– Czabo gratuluje panu spostrzegawczości – przetłumaczył Klaus. – A my się przyłączamy. Nie zauważyliśmy tego pudła.

– Dlatego właśnie jestem tu szefem – nadął się Olaf. – Bo mam głowę na karku i doskonały wzrok.

Zarechotał złośliwie i wcisnął pochodnię w dłoń Klausa.

– Podpalisz mi zaraz ten namiot, a pudło z żarciem przyniesiesz do auta. Czabo, ty pójdziesz ze mną. Znajdę ci coś na ząb, spokojna głowa.

– Wrr – warknęło bez przekonania Słoneczko.

– Czabo woli zostać z nami – przetłumaczyła Wioletka.

– Figę mnie obchodzi, co Czabo woli – burknął Olaf. Bez ceregieli złapał Słoneczko i wcisnął sobie pod pachę, jak arbuza. – A ty bierz się do roboty.

Hrabia Olaf z Esmeraldą Szpetną opuścili namiot, unosząc Czabo i pozostawiając starszych Baudelaire'ów sam na sam z pochodnią.

– Wynieśmy najpierw prowiant – poradził Klaus – a namiot podpalimy z zewnątrz. Inaczej sami znaleźlibyśmy się w płomieniach.

– Naprawdę chcesz spełnić rozkaz Olafa? – spytała Wioletka, jeszcze raz zerkając na stół. – W archiwum mogą leżeć odpowiedzi na wszystkie nasze pytania.

– Nie mamy innego wyjścia – odparł Klaus. – Olaf puszcza z dymem całe wesołe miasteczko, więc jeżeli chcemy się dostać w Góry Grozy, to musimy jechać z nim. Nie ma już czasu na nowe wynalazki ani na grzebanie w archiwum.

– Ale można poszukać kogoś z pozostałych pracowników Karnawału Kaligariego i poprosić o pomoc – zauważyła Wioletka.

– Wszyscy uważają nas za dziwolągi albo za morderców – odrzekł Klaus. – Sam pomału zaczynam tak o sobie myśleć.

– Kto wie, czy nie staniemy się prawdziwymi dziwolągami i mordercami, jeśli przyłączymy się do Hrabiego Olafa – powiedziała Wioletka.

– Ale jeżeli się do niego nie przyłączymy, to dokąd pójdziemy? – spytał Klaus.

– Nie wiem – westchnęła smutno Wioletka. – Ale to nie może być w porządku, prawda?

– Może faktycznie świat to jedno wielkie pandemonium, jak mówiła Oliwia – zauważył filozoficznie Klaus.

– Może – przyznała Wioletka i pomogła Klausowi dźwignąć pudło z prowiantem. Klaus uniósł pochodnię i dwójka starszych Baudelaire'ów, wciąż we wspólnych spodniach, po raz ostatni w życiu wyszła z namiotu wróżki.

W pierwszej chwili mieli wrażenie, że zapadła już noc, bo dokoła nie było niebiesko, jak zwykle o słynnych zachodach słońca na uroczysku, tylko całkiem czarno. W drugiej chwili uświadomili sobie jednak, że ta czerń to dym, którym napełnia się cała okolica. Rozejrzeli się dookoła: wiele namiotów i barakowozów już stało w ogniu, tak jak mówił Hrabia Olaf, a smolisty dym walił z nich kłębami prosto w niebo. Ostatnie niedobitki publiczności uciekały w panice przed skutkami zdrady Olafa, a z oddali porykiwały rozpaczliwie lwy, uwięzione w wykopie.

– Takich scen gwałtu to ja nie lubię! – narzekał głośno pryszczaty, który minął dzieci biegiem, krztusząc się od dymu. – Wolę, jak inni są w niebezpieczeństwie!

– Ja też! – wysapała doganiając go reporterka „Dziennika Punctilio". – Olaf mi mówił, że to wszystko wina Baudelaire'ów! Już widzę ten nagłówek: „SIEROTY BAUDELAIRE DALEJ PŁAWIĄ SIĘ W ZBRODNI!".

– Co to za dzieci, że mają taki pociąg do okrucieństwa? – wystękał pryszczaty, ale Wioletka z Klausem nie usłyszeli odpowiedzi reporterki, gdyż zagłuszył ją Hrabia Olaf.

– Szybciej, szybciej, dwugłowy dziwolągu! – wołał zza węgła. – Jak się nie pospieszysz, odjeżdżamy bez ciebie!

– Wrr! – warknęło panicznie Słoneczko, a starsi Baudelaire'owie, słysząc to, cisnęli płonącą pochodnię w głąb namiotu i pognali za głosem Olafa. Nawet nie obejrzeli się za siebie, i słusznie, bo dookoła paliło się już tyle namiotów, że jeden więcej nie czynił żadnej różnicy w krajobrazie. Jedyną różnicą było to, że ten pożar wzniecili Baudelaire'owie własnoręcznie, co tu oznacza: „z racji swego udziału w intrydze Hrabiego Olafa". Więc chociaż nie widzieli płonącego namiotu na własne oczy, to widzieli go w wyobraźni i chyba nigdy już nie mieli zapomnieć tego widoku.

Skręcając w boczną alejkę, Baudelaire'owie spostrzegli, że kompani Olafa już czekają przy długim czarnym automobilu, zaparkowanym przed barakowozem dziwolągów. Hugo, Colette i Kevin cisnęli się na tylnym siedzeniu razem z dwiema bladolicymi, a z przodu siedziała Esmeralda Szpetna i trzymała Słoneczko na kolanach. Hakoręki wziął karton z żywnością od Baudelaire'ów i wrzucił go do bagażnika. A wtedy Hrabia Olaf wskazał pejczem – znacznie już krótszym i sfatygowanym – barakowóz dziwadeł.

– Wy dwoje pojedziecie tym – rzekł do dzieci. – Przyczepimy go do auta i pociągniemy was.

– A nie zmieścimy się w samochodzie? – spytała z niepokojem Wioletka.

– Chyba żartujesz! – wykrzywił się szyderczo hakoręki. – Nie widzisz, jak tam ciasno? Całe szczęście, że Colette jest ekwilibrystką i może zwinąć się w kulkę na podłodze.

– Czabo już mi obgryzł pejcz, który teraz świetnie się nada na linkę holowniczą – oznajmił Hrabia Olaf. – Zastosujemy podwójny węzeł wymykowy i zaraz ruszamy – prosto w zachód słońca.

– Przepraszam – odezwała się Wioletka – ale ja znam węzeł zwany Diabelski Jęzor, który jest chyba bardziej niezawodny.

– Ja też przepraszam – dodał Klaus – ale z mapy wynika, że powinniśmy jechać na wschód aż do Padłego Potoku, czyli w tamtą stronę, przeciwnie do zachodu słońca.

– Tak, tak, tak – zgodził się pospiesznie Hrabia Olaf. – Właśnie to chciałem powiedzieć. Przywiążcie się, jak chcecie – dodał, rzucając Klausowi resztki pejcza. – Ja pójdę zapuścić silnik.

Hakoręki sięgnął na dno bagażnika i wygrzebał dwie krótkofalówki, które dzieci pamiętały z czasów spędzonych w domu Hrabiego Olafa. Jedną z nich wręczył Wioletce.

– Weźcie ją ze sobą – rzekł – żebyśmy w razie czego mogli się skontaktować.

– Szybciej! – warknął krótko Olaf, łapiąc drugą krótkofalówkę. – Dymu jest coraz więcej.

Łotr i jego banda wpakowali się do automobilu, do którego Wioletka z Klausem na klęczkach mocowali barakowóz.

– Wierzyć mi się nie chce, że wiążę ten węzeł, aby pomóc Hrabiemu Olafowi – powiedziała Wioletka. – Czuję się, jakbym zatrudniała swój talent wynalazczy w służbie zła.

– Wszyscy możemy to o sobie powiedzieć – rzekł ponuro Klaus. – Słoneczko zatrudniło swoje zęby do przerobienia pejcza na linkę holowniczą, ja zatrudniłem swoją znajomość map, aby wskazać Olafowi, w którą stronę ma jechać...

– Przynajmniej dzięki temu i my się tam dostaniemy – zauważyła Wioletka. – Może któreś z rodziców już tam na nas czeka. No, proszę. Węzeł gotowy. Wsiadajmy do barakowozu.

– Wielka szkoda, że nie jedziemy ze Słoneczkiem – powiedział Klaus.

– Jak to nie? Co prawda nie jedziemy w Góry Grozy tak, jak chcieliśmy, ale ważne, że w ogóle tam jedziemy.

– Mam nadzieję – odparł Klaus, wsiadając za siostrą do barakowozu dziwolągów.

Zamknęli drzwi. Hrabia Olaf ruszył i barakowóz zakolebał się na nierównym terenie wesołego miasteczka. Hamaki bujały się nad głowami dzieci, wieszak na ubrania poskrzypywał, ale węzeł Wioletki trzymał mocno i oba sczepione pojazdy zmierzały w kierunku wskazanym przez Klausa.

– Zadbajmy o wygodę – powiedziała Wioletka. – Czeka nas długa podróż.

– Co najmniej do rana – przytaknął Klaus. – A może i dłużej. Mam nadzieję, że zrobią postój i podzielą się jedzeniem.

– Potem możemy sobie zrobić gorącej czekolady – zaproponowała Wioletka.

– Z cynamonem – dodał Klaus, uśmiechając się na wspomnienie przepisu Słoneczka. – A tymczasem, czym się zajmiemy?

Wioletka westchnęła i usiadłszy razem z bratem na jednym krześle, oparła głowę na stole, który trząsł się z lekka na wybojach uroczyska. Krótkofalówka leżała obok domina.

– Posiedźmy i pomyślmy – powiedziała Wioletka.

Klaus kiwnął głową na zgodę i tak, rozmyślając, przesiedzieli całe popołudnie w barakowozie, który unosił ich coraz dalej od płonącego lunaparku. Wioletka usiłowała sobie wyobrazić, jak wygląda kwatera główna WZS, i miała nadzieję, że spotka tam któreś z rodziców. Klaus usiłował sobie wyobrazić, o czym rozmawia w tej chwili Olaf ze swoją trupą, i miał nadzieję, że Słoneczko nie za bardzo się boi. A wspólnie rozmyślali o tym, co się zdarzyło w wesołym miasteczku, i co chwila zadawali sobie pytanie, czy postąpili słusznie. Przebrali się, aby znaleźć odpowiedzi na swoje pytania, ale ich odpowiedzi szły właśnie z dymem, razem ze stolikiem Madame Lulu i archiwum. Namawiali kolegów do zmiany pracy na taką, w której nie uchodziliby za dziwolągi – a ci przystąpili do niecnej trupy Hrabiego Olafa. Obiecali Madame Lulu, że zabiorą ją ze sobą, aby ich zawiodła do WZS i stała się z powrotem szlechetną osobą – a tymczasem Madame Lulu skończyła w lwim dole jako przekąska dla krwiożerczych bestii. Wspominając te nieszczęścia, Wioletka z Klausem głowili się, czy wszystkie one wynikły z niefortunnego zbiegu okoliczności, czy też do kilku oni sami przyłożyli rękę. Nie były to przyjemne myśli, ale mimo wszystko lepsze niż ukrywanie się, oszukiwanie i gorączkowe snucie planów. W barakowozie były przynajmniej spokojne warunki do siedzenia i myślenia, nawet gdy przechylił się ukośnie, wjeżdżając za automobilem w Góry Grozy. Wioletkę i Klausa ogranął taki spokój, że gdy z krótkofalówki odezwał się głos Hrabiego Olafa, podskoczyli jak obudzeni z długiego snu.

– Jesteście tam? – spytał Olaf. – Naciśnijcie czerwony guzik i odpowiedzcie!

Wioletka przetarła oczy i podniosła krótkofalówkę tak, żeby i Klaus mógł wszystko słyszeć.

– Tak, jesteśmy – odpowiedziała.

– To dobrze – zaskrzeczał Olaf. – Bo chciałem wam powiedzieć, że dowiedziałem się jeszcze czegoś od Madame Lulu.

– Czego mianowicie? – zaciekawił się Klaus.

Z krótkofalówki odpowiedziała mu cisza i okrutny, perlisty śmiech.

– Tego mianowicie, że jesteście Baudelaire'ami! – wrzasnął triumfalnie Hrabia Olaf. – Że przywlekliście się tu za mną w przebraniach i chcieliście wywieść mnie w pole! Ale ja jestem dla was za sprytny, głupie smarkacze!

Olaf znów zaczął rechotać, ale tym razem jego rechotom towarzyszył drugi głos, od którego Wioletka i Klaus zadrżeli równie gwałtownie, jak wiozący ich barakowóz. To Słoneczko popiskiwało ze strachu!

– Niech pan jej nie robi krzywdy! – zawołała Wioletka. – Niech pan nie śmie zrobić jej krzywdy!

– Krzywdy? Jej? – zaśmiał się upiornie Hrabia Olaf. – Ależ ja za nic w świecie nie zrobiłbym jej krzywdy! Przecież jedna sierota jest mi niezbędna do zdobycia fortuny. Najpierw upewnię się, czy oboje wasi rodzice są martwi, a potem, za pomocą Słoneczka, stanę się bardzo, bardzo bogaty! Nie, nie martwiłbym się o tego zębatego kurdupelka – jeszcze nie. Na waszym miejscu martwiłbym się raczej o siebie! Powiedzcie pa-pa siostrzyczce, Baudelińscy!

– Przecież jesteśmy przywiązani – zauważył Klaus. – Nasz barakowóz jest na holu.

– To wyjrzyjcie przez okno – poradził Hrabia Olaf i rozłączył krótkofalówkę. Wioletka z Klausem popatrzyli na siebie, a potem, zataczając się, wstali i odsłonili firankę. Firanka rozchyliła się jak kurtyna w sztuce teatralnej, a ja na waszym miejscu postarałbym się wmówić sobie, że to wszystko teatr, a nie książka – że to tylko tragedia napisana przez Williama Shakespeare'a – i że można jeszcze przed końcem przedstawienia uciec do domu i schować się pod kanapą, bo być może przypominacie sobie pewne wyrażenie, którego, choć z przykrością, będę musiał użyć w tej historii trzykrotnie, a po raz trzeci użyję go w rozdziale trzynastym. Będzie to rozdział bardzo krótki, gdyż historia nasza dobiegła końca tak nagle, że niewielu potrzeba słów na opisanie jej finału. Mimo to znajdzie się w nim okazja do trzeciego użycia wyrażenia „w paszczy potwora", więc jeżeli jesteście rozsądni, to uciekajcie, zanim trzynasty rozdział się rozpocznie, bo ostatnie „w paszczy potwora" jeszcze się nie liczyło.

R O Z D Z I A Ł
Trzynasty

Rozchyliwszy firankę, Wioletka z Klausem wyjrzeli przez okno i oniemieli. Długi czarny automobil Hrabiego Olafa pruł krętą drogą ku szczytom Gór Grozy. Barakowóz dziwolągów przytroczony był do jego zderzaka. Baudelaire'owie nie widzieli swojej siostrzyczki, uwięzionej na przednim siedzeniu w szponach Olafa i jego podłej narzeczonej, ale wyobrażali sobie przerażenie i rozpacz maleństwa.

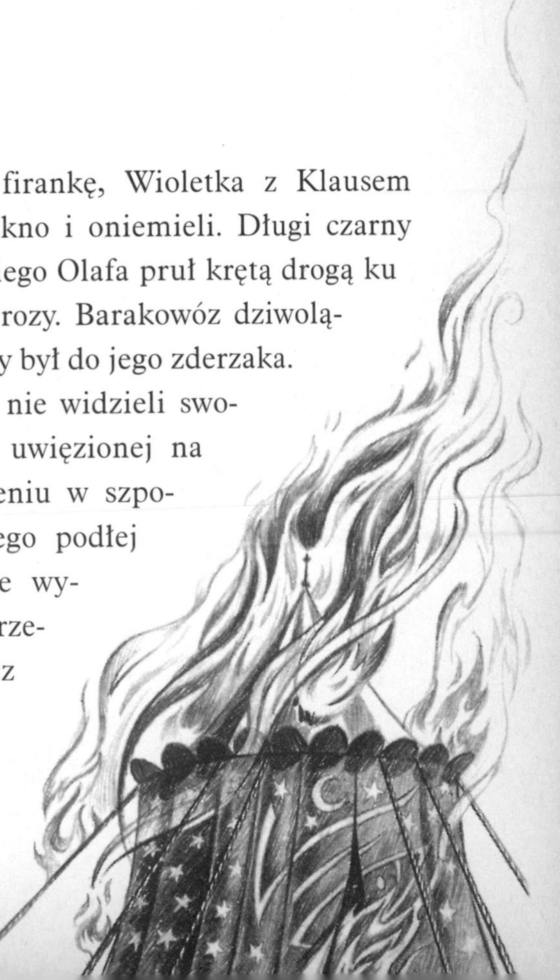

Zobaczyli jednakże coś, co ich samych wprawiło w przerażenie i rozpacz – coś, czego jeszcze przed chwilą wcale sobie nie wyobrażali.

Przez tylne okno automobilu wychylał się Hugo: garb miał ukryty w wielkim płaszczu, który dostał od Esmeraldy Szpetnej, a obiema rękami trzymał za nogi Colette. Ekwilibrystka tak wykręciła się na zewnątrz całym ciałem, że głowę opierała pośrodku bagażnika, między dwiema dziurami po ostrzale, przez które Baudelaire'owie w drodze do Karnawału Kaligariego czerpali powietrze. Colette, podobnie jak Hugo, też trzymała kogoś za nogi, a tym kimś był oburęczny Kevin. Trójka byłych pracowników Madame Lulu tworzyła w ten sposób żywy łańcuch. Na końcu tego łańcucha znajdowały się ręce Kevina, dzierżące długi, zardzewiały nóż. Kevin podniósł wzrok na Wioletkę i Klausa, wyszczerzył się triumfalnie i silnym ciosem przerżnął węzeł zaciśnięty przez Wioletkę.

Diabelski Jęzor to bardzo mocny węzeł i przepiłowanie go nożem, nawet ostrym, wymagałoby normalnie sporo czasu, ale jednakowo silne ręce Kevina nadały nożowi nadzwyczajną siłę, toteż węzeł w jednej chwili pękł na dwoje.

– Nie! – krzyknęła Wioletka.

– Słoneczko! – wrzasnął Klaus.

Po odczepieniu barakowozu oba pojazdy ruszyły w przeciwne strony. Automobil Hrabiego Olafa piął się dalej drogą w góry, ale barakowóz, którego już nie miało co ciągnąć, zaczął staczać się z powrotem w dół, tak jak arbuz spuszczony ze schodów, a zamknięci w środku Klaus i Wioletka nie mieli żadnej możliwości nim sterować. Cała trójka krzyczała wniebogłosy – Wioletka z Klausem w pustym, roztrzęsionym barakowozie, a Słoneczko w automobilu pełnym łotrów. Tymczasem oba pojazdy coraz bardziej oddalały się od siebie – ale chociaż Hrabia Olaf był coraz bliżej upragnionego celu, a starsi Baudelaire'owie coraz dalej, to wszystkim trzem sierotom zdawało się, że utkwiły w tym samym miejscu. Chociaż automobil Hrabiego Olafa znikł z pola widzenia, a barakowóz staczał się dalej wyboistą drogą, to sieroty Baudelaire miały wrażenie, że znalazły się oto w paszczy potwora – i tym razem uprzedzam was z przykrością, że to się liczy – jeszcze jak!

DZIWOLĄGI
SKAUT ŚNIEŻNY
PORADNIK

LEMONY SNICKET

opublikował swoją pierwszą książkę w roku 1999 i odtąd ani razu nie spał spokojnie. Niegdyś laureat kilku pierwszorzędnych nagród, dziś jest uciekinierem z kilku trzeciorzędnych więzień. W młodości pan Snicket wyuczył się sztuki tapicerskiej – fachu, który miał mu się przydać w życiu bardziej, niż przypuszczano.

BRETT HELQUIST

urodził się w Ganado, stan Arizona, a młode lata spędził w Orem, w stanie Utah. Z wielkim trudem zdobył zawód ilustratora, ale do dziś żałuje, że nie wybrał jakiejś bezpieczniejszej profesji, na przykład piractwa. Mimo ryzyka nadal tłumaczy osobliwe odkrycia Lemony Snicketa na język niezwykłych obrazów.

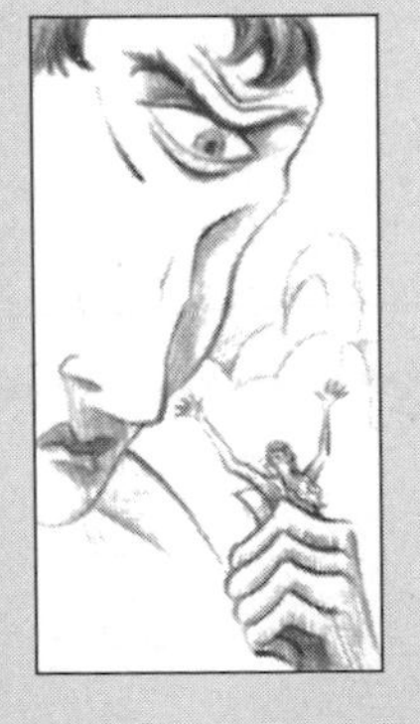

Szan wny Redakt rze!

Mam nadzi ję, że list jest c ytelny. Panuje tuta
taki ziąb, że tusz w masz nie do pisania
chwilami

. Tu pod Wielkim Zawianym
lodowate sprawiły
a wyniki są dość

Ponieważ moi wrogowie są coraz bliżej, uznałem
za niebezpieczne umieszczenie całego maszynopisu
historii Baudel ,
zatytułowanego ZJEZDNE ZBOCZE, w .
Dlatego każdy z trzynastu rozdziałów umieszczam

w innym miejscu.
„Życie jest
Ona przekaże Panu klucz do

pierwszy rozdział, wraz z unikalną
fotografią stada , która może być pomocna
panu Helquistowi w sporządzeniu ilustracji.
PROSZĘ POD ŻADNYM POZOREM NIE O

trzy razy.

Proszę pamięta a jedyną nadzieją na to,
że historia świato dzienne.

c y n ny sz k m

Lem ny ick t

SERIA NIEFORTUNNYCH ZDARZEŃ

Dotychczas w serii ukazały się:

Przykry początek

Gabinet gadów

Ogromne okno

Tartak tortur

Akademia antypatii

Winda widmo

Wredna wioska

Szkodliwy szpital

Krwiożerczy karnawał

*

W przygotowaniu:

Zjezdne zbocze